AFGEVOERD

D0533413

BELGISCH ERFRECHT
IN KORT BESTEK

397.3

BELGISCH ERFRECHT
IN KORT BESTEK

Met IPR-aspecten en praktische
tips voor Nederbelgen

397.3

Prof. Dr. Alain Verbeke

Gewoon Hoogleraar
K.U. Leuven en Universiteit Tilburg
Advocaat te Brussel

Tweede herziene uitgave
2003

Intersentia
Antwerpen – Groningen

GEMEENTELIJKE BIBLIOTHEEK
Dorp 28 - 9920 LOVENDEGEM

0 3 SEP. 2004

Belgisch erfrecht in kort bestek. Tweede herziene uitgave
Alain Verbeke

© 2003 A. Verbeke – Intersentia
Antwerpen – Groningen
http://www.intersentia.be

ISBN 90-5095-312-3
D/2003/7849/45
NUR 822

Alle rechten voorbehouden. Behoudens uitdrukkelijk bij wet bepaalde uitzonderingen mag niets uit deze uitgave worden verveelvoudigd, opgeslagen in een geautomatiseerd gegevensbestand of openbaar gemaakt, op welke wijze ook, zonder de uitdrukkelijke voorafgaande toestemming van de uitgevers.

INHOUD

INLEIDING

Bij de eerste uitgave – November 2002

Dit boekje wil elke niet gespecialiseerde professional laten kennismaken met een aantal elementaire krachtlijnen van het Belgische familiaal vermogensrecht[1]. Hierbij richt ik mij in de eerste plaats tot Belgen en Nederlanders.

In hoofdorde worden het erfrecht en het huwelijksvermogensrecht beoogd. Hoewel de toelichting in principe louter civielrechtelijk van aard is, zal voornamelijk in hoofdstuk 6 toch enige aandacht worden besteed aan voor de praktijk relevante aspecten van successierechten. Het voetnotenapparaat is uiterst beperkt gehouden. Wie na deze kennismaking dieper op de materie wil ingaan, kan te rade gaan bij de in de bibliografie aangehaalde werken.

In de hoofdstukken 1 en 2 komt het versterf-erfrecht (of intestaatserfrecht) aan bod. Dit omvat de regels die bepalen wie wat krijgt indien de overledene zelf niets heeft geregeld omtrent zijn vermogen. In het klassieke erfrecht zijn dit de regels voor vererving naar bloedverwanten. Dit wordt in het eerste hoofdstuk behandeld. Daarop ent zich de vraag wat een echtgenoot verkrijgt, indien er niets is geregeld. Deze vraag moet worden beantwoord door een combinatie van huwelijksvermogensrecht en versterf-erfrecht, hetgeen in het tweede hoofdstuk wordt toegelicht.

Hoofdstuk 3 gaat in op het testamentaire erfrecht. Hier heeft de overledene wel een schikking getroffen en zijn wil uitgedrukt omtrent hetgeen met zijn vermogen moet gebeuren na zijn overlijden. Vrijheid, blijheid, is hier echter niet aan de orde. De testator botst op vrij strikte grenzen aan zijn beschikkingsvrijheid. Dit wordt in het vierde hoofdstuk besproken, omtrent het reservataire erfrecht. Hier worden ook de raakvlakken met het schenkingenrecht behandeld.

In het vijfde hoofdstuk worden een aantal principes van internationaal privaatrecht toegelicht. Dit vormt meteen de brug naar het laatste hoofdstuk waarin een aantal praktische vragen aan bod komen, in de verhouding tussen Nederlands en Belgisch recht. In dit hoofdstuk wordt geprobeerd te illustreren hoe alle voorgaande elementen in elkaar vloeien en inter-

---

[1] De tekst is gebaseerd op een aantal eerdere publicaties, onder meer mijn artikelen-reeks in het *Fiscaal Tijdschrift Vermogen* (zie bibliografie).

ageren. Hieruit blijkt hoe het internationaal privaatrecht een determinerende greep kan hebben op de concrete uitkomst van een probleem.

Alain Verbeke

Bij de tweede uitgave – Mei 2003

De doelstelling van dit boekje, zoals ik schreef bij de Inleiding van de eerste uitgave, om elke niet gespecialiseerde professional te laten kennismaken met een aantal elementaire krachtlijnen van het Belgische familiaal vermogensrecht, blijkt tegemoet te komen aan een grote belangstelling.

Op amper zes maanden tijd is de eerste uitgave, met een oplage van duizend exemplaren, uitverkocht. Ziedaar de eerste reden om nu al een tweede uitgave uit te brengen.

Er is nog een tweede reden, die meteen verklaart waarom het niet zomaar een herdruk is geworden, maar een herziene uitgave. Naast de gewone ontwikkelingen in rechtspraak en doctrine, die zich steeds voordoen op een periode van een half jaar, werd in de voorbije maanden een wetgevend initiatief beëindigd dat belangrijke gevolgen heeft voor het erfrecht van de langstlevende echtgenoot.

Dit is de Wet van 22 april 2003 tot wijziging van sommige bepalingen van het Burgerlijk Wetboek in verband met het erfrecht van de langstlevende echtgenoot. De wet werd gepubliceerd in het *Belgisch Staatsblad* van 22 mei 2003. Hij treedt in werking tien dagen na de publicatie, met name op 1 juni 2003. Deze wet komt tegemoet aan een reële behoefte en zal een niet te miskennen impact hebben op de praktijk.

De structuur van het boekje en de gehanteerde methode zijn ongewijzigd gebleven. Ik verwijs daarvoor naar de Inleiding bij de eerste uitgave.

Alain Verbeke

HOOFDSTUK 1.
KLASSIEK VERSTERF-ERFRECHT

1.1. OPENVALLEN VAN DE NALATENSCHAP

Hoe en waar?

Een nalatenschap valt open door het overlijden van een natuurlijke persoon (artikel 718 BW[2]). Het feit van het overlijden[3] wordt bewezen door de overlijdensakte. Indien het overlijden niet materieel kan worden vastgesteld (bv. vliegtuigcrash in open zee of de WTC ramp), dan gebeurt dit via een declaratief rechterlijk vonnis.

Ook het tijdstip van overlijden is belangrijk. Wanneer twee of meer personen overlijden en niet kan worden vastgesteld wie als eerste overleed, worden ze geacht gelijktijdig te zijn gestorven (artikel 721 BW). Dit is de zogenaamde theorie der *commorientes*. Geen van beiden erft dan van de ander.

De nalatenschap valt open op de plaats waar de erflater het laatst heeft gewoond (artikel 110 BW). Dit is de plaats waar de overledene zijn belangrijkste vestiging had, het centrum van zijn belangen en zijn vermogen (artikel 102 BW). Uiteraard is dit een feitenkwestie.

Het principe van eenheid van erfopvolging impliceert dat alle goederen van de overledene overgaan zonder rekening te houden met de aard of met de oorsprong van de goederen (artikel 732 BW). Hierop bestaan wel een aantal uitzonderingen. Zo wordt in het Belgische internationaal privaatrecht, voor de aanduiding van het toepasselijke erfrecht in internationale gevallen, de zogenaamde disjunctieve verwijzingsregel toegepast. Deze heeft tot gevolg dat mogelijk meer dan één erfrecht de vererving van de nalatenschap beheerst[4]. Een ander voorbeeld is te vinden in het huwelijksvermogensrecht. Bij stelsels van gemeenschap van goederen kan de langstlevende echtgenoot zich bij voorrang de gezinswoning met huisraad doen toewijzen (artikel 1446 BW). Daarnaast is er ook nog de bijzondere figuur der anomale nalatenschap, ook genoemd het recht van terugkeer. Dit doet zich bv. voor wanneer ouders een schenking hebben gedaan aan hun zoon, die voor de ouders komt te overlijden zonder zelf

---

[2]   De verwijzing BW staat voor Belgisch Burgerlijk Wetboek, tenzij anders aangeduid.
[3]   Voor de afwezige, zie artikel 130 BW.
[4]   Zie daarover nader in Hoofdstuk 6.

afstammelingen na te laten. Indien de geschonken goederen zich dan nog in natura in de nalatenschap van de zoon bevinden, keren deze goederen krachtens de wet (artikel 747 BW) terug naar de ouders (zie ook een vergelijkbare regel in geval van adoptie in artikel 366 BW).

Bezit of saisine

Wettelijke of regelmatige erfgenamen zijn deze die de erflater opvolgen uit hoofde van hun bloedverwantschap (zie 1.3.), evenals de langstlevende echtgenoot. Een onregelmatige erfgenaam is de Staat, die door de wet als erfgenaam kan worden geroepen ten aanzien van een erfloze nalatenschap. Daarnaast kunnen er legatarissen zijn. Deze erven niet krachtens een wettelijke regel, maar op grond van een testamentaire beschikking.

De techniek van de *saisine* heeft tot gevolg dat de regelmatige wettelijke erfgenamen van rechtswege in het bezit treden van de goederen, rechten en rechtsvorderingen van de overledene (artikel 724 BW)[5]. De nalaten-schap gaat direct over. Er is geen *probate procedure* zoals in de Anglo-Ame-rikaanse wereld, met een tussenpersoon, executeur of beheerder. Door de *saisine* kan een erfgenaam bezit nemen van de goederen van de nalatenschap, deze beheren, en ook vorderingen voor de nalatenschap instellen en doorvoeren. Dit kan hij doen zonder dat hij reeds de nalatenschap als erfgenaam (en dus als eigenaar van een aandeel daarvan) zou hebben aanvaard. Hij moet echter wel voorzichtig zijn, omdat bepaalde handelingen en gedragingen zouden kunnen worden gekwalificeerd als een stilzwijgende aanvaarding (zie nader in 1.4.).

Als onregelmatige erfgenaam geniet de Staat niet van de *saisine*. Deze moet zich door de rechter in het bezit doen stellen van de nalatenschap. Een algemene legataris geniet van de *saisine*, indien er geen reservataire erfgenamen zijn (artikel 1006 BW)[6]. Indien er reservatairen zijn, moet hij aan hen de afgifte vragen (artikel 1004 BW). Legatarissen onder algemene titel en bijzondere legatarissen moeten altijd afgifte van hun legaat vragen. Afgifte van een legaat is niet onderworpen aan bijzondere vormvereisten of formaliteiten.

Beheer

In een aantal gevallen wordt het beheer over de nalatenschap toevertrouwd aan een derde. Zo kan de erflater één of meerdere uitvoerders van zijn

---

[5] Cf. P. THIRIAR, "De erfrechtelijke saisine over banktegoeden", *Tijdschrift voor Financieel Recht* 2002, 168-182.

[6] Te nuanceren door artikel 1008 BW (zie hoofdstuk 3).

4

uiterste wilsbeschikking (testamentuitvoerder[7]) aanstellen (artikel 1025 BW). De testamentuitvoerder kan bij testament het bezit verkrijgen van de roerende goederen of een gedeelte daarvan, doch voor niet langer dan een jaar en een dag na het overlijden (artikel 1026 BW). De opdracht van een testamentuitvoerder bestaat er voornamelijk in te waken over een correcte uitvoering van de uiterste wil van de overledene (artikel 1031 BW). In geval van geschil omtrent de uitvoering van het testament, kan de testamentuitvoerder tussenkomen om de geldigheid daarvan te verdedigen. Hij heeft de bevoegdheid en in bepaalde gevallen de plicht om een verzegeling te vorderen en een boedelbeschrijving te laten opmaken (zie verder daarover). Hij kan de roerende goederen verkopen wanneer er onvoldoende fondsen zijn om de legaten uit te keren. Na verloop van een jaar sinds het overlijden moet de testamentuitvoerder rekening en verantwoording afleggen van zijn beheer.

Bij een aanvaarding onder voorrecht van boedelbeschrijving (of beneficiaire aanvaarding) (zie 1.4) wordt een echte beheerder aangesteld. Deze moet de nalatenschap vereffenen, de schuldeisers en de legaten uitbetalen, waarna een positief saldo dan aan de erfgenamen toekomt. De beheerder is de beneficiair aanvaardende erfgenaam of een andere door de rechtbank benoemde beheerder. De nalatenschap valt onder een soort van vereffeningsbewind, vergelijkbaar met de vereffening van een vennootschap (zie artikelen 793-810*bis* BW).

Andere gevallen van beheer door een derde zijn bv. de onbeheerde nalatenschap, waarbij niemand zich aanmeldt om de nalatenschap op te vorderen (ook niet de Staat), en waarbij geen erfgenaam bekend is of de bekende erfgenamen de nalatenschap hebben verworpen (artikelen 811 en 813 BW). Hier wordt dan een curator aangesteld om de nalatenschap te beheren en te vereffenen, overeenkomstig de regels voorgeschreven voor beneficiaire aanvaarding.

Bij wijze van nood- of spoedmaatregel kan het ook voorkomen dat de Voorzitter van de rechtbank van eerste aanleg een beheerder ad hoc aanstelt over een nalatenschap.

Beschermingsmaatregelen

Het is mogelijk om, bij het openvallen van de nalatenschap, beschermingsmaatregelen te nemen tegen verduistering of wegmaking van erfgoederen.

---

[7]   In Nederland executeur-testamentair of in het nieuwe erfrecht kortweg executeur.

Zo kunnen erfgenamen en hun schuldeisers, maar ook schuldeisers van de nalatenschap en een testamentuitvoerder, bij de vrederechter[8] de verzegeling eisen van goederen van de nalatenschap, zo daartoe een ernstig belang kan worden aangetoond[9].

Daaropvolgend, maar ook los van een verzegeling, kan een notariële boedelbeschrijving worden opgemaakt teneinde de omvang en de samenstelling van de nalatenschap vast te stellen[10]. De boedelbeschrijving kan onder omstandigheden een niet onaardig drukkingsmiddel vormen ten aanzien van onwillige erfgenamen die beweren nooit een schenking van de erflater te hebben ontvangen. Zij kunnen immers, desnoods via dwangsom, worden gedwongen om dit onder eed te verklaren. Liegen wordt strafrechtelijk gesanctioneerd (meineed) en daarenboven verliest men alle rechten in de verduisterde of verzwegen goederen en kan men niet anders meer dan de nalatenschap zuiver aanvaarden (zie 1.4.).

Een andere, eerder uitzonderlijke beschermingsmaatregel, bestaat erin dat aan de Voorzitter van de rechtbank van eerste aanleg wordt gevraagd om een sekwester over de nalatenschap aan te stellen (artikelen 1961-1963 BW). Deze treedt dan op als een gerechtelijke bewaarder die als een goede huisvader moet zorgen voor het behoud van de goederen van de nalatenschap.

1.2. VEREISTEN OM TE ERVEN

In leven zijn

Om te erven moet een potentiële erfgenaam in leven zijn op het ogenblik van overlijden van de erflater (artikel 720 BW). Derhalve is wie nog niet verwekt is[11], of een kind dat niet levensvatbaar geboren is, niet bekwaam om te erven (artikel 725 BW). Wanneer een van de erfgenamen een persoon is die juridisch afwezig is, gaat de nalatenschap exclusief over op diegenen die samen met hem gerechtigd zouden zijn geweest of op diegenen die bij gebreke van de afwezige, de nalatenschap zouden hebben verkregen (artikel 136 BW).

---

[8] Vergelijkbaar met de Nederlandse kantonrechter.

[9] Artikelen 1148-1174 Belgisch Gerechtelijk Wetboek. Zie bv. A. VERBEKE, "De noodzaak van belangenafweging bij verzegeling", *Tijdschrift van de Vrede- en Politierechters* 1995, 218-223.

[10] Artikelen 1175-1184 Belgisch Gerechtelijk Wetboek.

[11] De verwekking wordt vermoed plaats te vinden tussen de 300ste en de 180ste dag voor de geboorte (artikel 326 BW).

De nationaliteit van een erfgenaam is niet relevant. Buitenlanders hebben dezelfde rechten als Belgische burgers om in België te erven.

Onwaardigheid

Uitzonderlijk kan men worden geacht onwaardig te zijn om als erfgenaam op te treden. In artikel 727 BW worden drie specifieke omstandigheden weergegeven die leiden tot erfrechtelijke onwaardigheid[12]. Dit is het geval voor hem die veroordeeld wordt om de erflater te hebben gedood of te hebben gepoogd hem te doden; voor hem die tegen de overledene een lasterlijk geoordeelde beschuldiging heeft ingebracht van een feit waarop de doodstraf staat en tenslotte voor de meerderjarige erfgenaam die heeft nagelaten om de moord op de overledene bij het gerecht aan te geven.

Daarnaast kunnen ouders geheel of gedeeltelijk worden ontheven van het recht om van hun kinderen te erven, met name wanneer zij zijn ontzet uit de ouderlijke macht. Ook de langstlevende echtgenoot kan door de rechter geheel of gedeeltelijk van zijn erfrecht worden uitgesloten of vervallen verklaard. Dit is zo indien hij of zij geheel of ten dele is ontzet uit de ouderlijke macht over de kinderen geboren uit het huwelijk met de erflater[13].

1.3. BLOED-DEVOLUTIE

Erfgenamen – Erfloos – Onbeheerd

Alleen personen die bloedverwanten zijn, in leven op het moment van het overlijden, kunnen erven, bij gebrek aan testament. Een uitzondering is de langstlevende echtgenoot, die sinds 1981 een wettelijke en regelmatige erfgenaam is, ook al is er geen bloedband. Als er geen bloedverwanten zijn, dan erft de langstlevende echtgenoot alles. Zijn er noch bloedverwanten, noch echtgenoot, dan is er sprake van een erfloze nalatenschap, waartoe de Staat wordt geroepen als onregelmatige erfgenaam (artikel 768 BW). Als niemand de nalatenschap vordert (inclusief de staat) en er zoals gezegd geen bekende erfgenamen zijn (of deze hebben verworpen), dan is de nalatenschap onbeheerd (zie hoger 1.1. en verder 1.4.).

---

[12]   Voor legatarissen geldt de regel van artikelen 954-955 BW.

[13]   Ingevolge de Wet op ouderlijk gezag en voogdij (Wet van 29 april 2001, *Belgisch Staatsblad* 31 mei 2001, in werking getreden op 1 augustus 2001) is de wettekst op dit punt aangepast en is de verwijzing naar uitsluiting of ontzetting uit de voogdij geschrapt, omdat de voogdij niet meer openvalt bij overlijden van één echtgenoot en de langstlevende ouder geheel het ouderlijk gezag verder zet (zie artikel 745*septies* § 1 BW). Over deze recente Wet, zie o.m. de commentaren vermeld in de bibliografie.

Bloed-lijn

De bloedverwanten worden onderverdeeld in drie lijnen: de rechte lijn, die zich opsplitst in de neerdalende en de opklimmende lijn, en de zijlijn. De lijn speelt een rol bij de devolutie, met name voor de berekening van de graad van verwantschap (zie hierna).

In de neerdalende lijn vinden wij de afstammelingen van de erflater, dit zijn de kinderen en hun nakomelingen, descendenten genoemd. In de opklimmende lijn figureren de ouders en voorouders van de overledene, ascendenten genoemd. Ouders zijn bevoorrechte ascendenten. Grootouders en verdere voorouders zijn gewone ascendenten. In de zijlijn ten slotte vinden wij de bevoorrechte collateralen, dat zijn de broers en zusters van de erflater en hun nakomelingen en de gewone collateralen, dit zijn de broers en zusters van de ouders van de erflater (ooms en tantes) en hun nakomelingen (neven en nichten en verder).

Teneinde te bepalen wie van deze bloedverwanten in aanmerking komt om te erven, dient men rekening te houden met de orde van bloedverwantschap waarin de betrokkene zich bevindt ten aanzien van de overledene, en binnen die orde, met de graad van verwantschap.

Bloed-orde

Voor de bepaling van de devolutie is het essentieel te bepalen in welke orde een erfgenaam zich bevindt. Een orde is een groep of categorie van bloedverwanten. Men onderscheidt vier dergelijke orden.

De eerste orde omvat de descendenten. Dit zijn al de kinderen of afstammelingen van de overledene, binnen en buiten het huwelijk geboren, ook geadopteerd. Sinds de wet van 31 maart 1987 hebben alle kinderen en hun afstammelingen dezelfde rechten en verplichtingen tegenover hun ouders en familieleden, en omgekeerd, ongeacht de wijze waarop de afstamming is vastgesteld (artikel 334 BW). Niettemin moet de afstamming wettelijk en definitief worden vastgesteld. Dit is niet mogelijk als de vaststelling of erkenning van de afstamming een incestueuze relatie tussen de vader en de moeder van het kind bevestigt, zowel horizontaal (broer en zus) als verticaal (vader en dochter of moeder en zoon) (zie artikelen 313 § 2; 314 tweede lid en 321 BW).

Ondanks de terechte gelijkberechtiging tussen binnen en buiten het huwelijk geboren kinderen, blijven er nog sporen van de spijtige discriminatie van kinderen die buiten het huwelijk zijn geboren. Zo bepaalt artikel

828 BW dat erfgenamen wier banden van verwantschap met de erflater niet zijn vastgesteld en die hun rechten niet binnen de zes maanden na het openvallen van de nalatenschap hebben opgeëist, de geldigheid van door de andere erfgenamen te goeder trouw verrichte handelingen niet kunnen betwisten. Tevens kunnen zij hun erfdeel niet in natura opeisen in goederen die door de andere erfgenamen reeds zijn vervreemd of verdeeld. Zij zullen zich moeten tevreden stellen met de tegenwaarde van hun erfdeel. Nog sterker is de regeling in artikel 837 BW. De langstlevende echtgenoot en de kinderen uit het huwelijk met de erflater kunnen de kinderen die tijdens datzelfde huwelijk door de erflater in overspel zijn verwekt, hun erfdeel in natura ontnemen, behalve als dergelijk overspelig kind in de gemeenschappelijke woning is opgevoed. Deze overspelige kinderen, onschuldige slachtoffers van een intolerante en moraliserende wetgever, zullen de tegenwaarde van hun erfdeel krijgen. Als de erflater echter voor het openvallen van de nalatenschap uit de echt is gescheiden, dan geldt de genoemde discriminatie niet en kunnen de overspelige kinderen erven in natura.

De situatie van een geadopteerd kind verschilt naargelang de adoptievorm. In het geval van een gewone adoptie worden de banden met de biologische familie niet compleet doorgeknipt. Daarom behoudt het geadopteerde kind (en diens afstammelingen) al zijn erfrechten in zijn oorspronkelijke (biologische) familie. Het kind zal tevens als een gewoon kind erven van de adoptant, maar niet van diens bloedverwanten (artikel 365 BW). Geheel anders is het bij een volle adoptie omdat hier wel alle banden met de oorspronkelijke familie worden verbroken. Derhalve verliest het kind alle erfrechten ten aanzien van die oorspronkelijke familie, en zal het volledig gelijk aan een gewoon kind erven in zijn adoptie-familie, dus niet alleen van de adoptant maar ook van diens bloedverwanten (artikel 370 BW).

Tot de tweede orde behoren de bevoorrechte ascendenten (ouders) en de bevoorrechte collateralen (broers en zusters). Op te merken valt dat de ouders slechts in de tweede orde opkomen zo er broers en zusters zijn. Indien dit niet het geval is, worden de ouders doorverwezen naar de derde orde, die verder de gewone ascendenten omvat. Tot slot vinden wij in de vierde orde alle gewone collateralen of bloedverwanten in de zijlijn terug.

Bloed-graad

Naast de bepaling van de orde, moet ook nog de graad van verwantschap worden vastgesteld, alvorens precies de devolutie te kunnen bepalen. De methode om de graad van verwantschap uit te rekenen is te lezen in artikelen 737 en 738 BW.

In de rechte lijn rekent men zoveel graden als er generaties zijn tussen de personen. In de zijlijn worden de graden bepaald door het aantal van de generaties, eerst naar boven gaand te rekenen van de ene bloedverwant tot aan de gemeenschappelijke stamvader, zonder deze mee te tellen, en dan weer afdalend tot aan de andere bloedverwant. Aldus staat de erflater in de eerste graad van verwantschap tot zijn ouders en zijn kinderen; in de tweede graad tot zijn grootouders, kleinkinderen, broers en zussen; in de derde graad tot zijn overgrootouders, achterkleinkinderen, ooms en tantes; en in de vierde graad tot zijn neven en nichten. Zie Figuur 1.

Bloedverwanten die verder staan dan de vierde graad erven niet, tenzij zij opkomen bij plaatsvervulling (zie verder) (artikel 755 BW).

Figuur 1

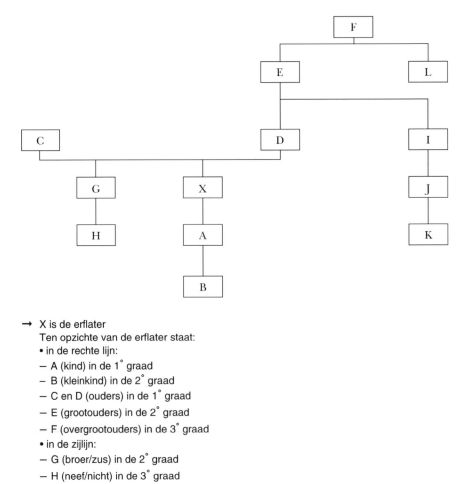

→ X is de erflater
Ten opzichte van de erflater staat:
• in de rechte lijn:
– A (kind) in de 1° graad
– B (kleinkind) in de 2° graad
– C en D (ouders) in de 1° graad
– E (grootouders) in de 2° graad
– F (overgrootouders) in de 3° graad
• in de zijlijn:
– G (broer/zus) in de 2° graad
– H (neef/nicht) in de 3° graad

- I (oom/tante) in de 3° graad
- J (neef/nicht) in de 4° graad
- K (achterneef/achternicht) in de 5° graad
- L (grootoom/groottante) in de 4° graad

Bloed-devolutie via orde en graad

Met deze concepten van lijn, orde en graad hebben wij nu alle bouwstenen in handen om de devolutie of de erfopvolging te bepalen[14]. Er is een eenvoudige dubbele vuistregel: kijk naar de orde en dan binnen de orde naar de graad van verwantschap.

Bij het aanschouwen van de bloedverwanten van de erflater, kijkt men eerst of er kandidaten zijn van de eerste orde. Deze sluiten dan alle anderen uit. Zijn er geen uit de eerste orde, dan gaan wij over naar de tweede orde. Indien er kandidaten uit deze groep zijn, dan sluiten zij alle overigen uit. Hetzelfde geldt dan voor de derde en de vierde orde, doch hier treedt een correctie op, met name de kloving (zie verder). Na de orde-bepaling, eventueel aangepast via kloving, houden wij enkel nog rekening met de kandidaten van die orde. Om nu definitief te bepalen wie zal erven, moet nog de graad van verwantschap der kandidaten worden vastgesteld. Hier is de regel even simpel. De naaste in graad zal erven, met uitsluiting van alle anderen. Wie in gelijke graad staat, zal een gelijk aandeel erven. De hardheid van deze regel wordt gecorrigeerd door de techniek der plaatsvervulling (zie verder).

Als er kinderen zijn, bevinden wij ons in de eerste orde. Alle kinderen staan in de eerste graad en krijgen per hoofd elk een gelijk deel (zie Figuur 2). Als een kind is voor-overleden, zullen zijn afstammelingen zijn plaats of staak kunnen innemen via de plaatsvervulling (zie verder).

---

[14] Voorlopig wordt hier enkel de bloedverwanten-devolutie besproken. Het nalaten van een langstlevende echtgenoot wordt in hoofdstuk 2 onderzocht.

Figuur 2

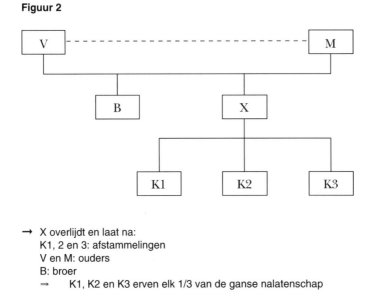

→ X overlijdt en laat na:
  K1, 2 en 3: afstammelingen
  V en M: ouders
  B: broer
  ⇒   K1, K2 en K3 erven elk 1/3 van de ganse nalatenschap

Als de erflater geen kinderen nalaat, maar wel ouders, broers en zussen, is de tweede orde in zicht. Elke ouder krijgt een kwart, de resterende helft wordt in gelijke delen, per hoofd, verdeeld onder de broers en zusters, eventueel gecorrigeerd via de plaatsvervulling (zie verder). Wanneer er slechts één ouder is, dan krijgt die een kwart en wordt het resterende drie vierde verdeeld onder de broers en zusters. Zie Figuur 3.

Figuur 3

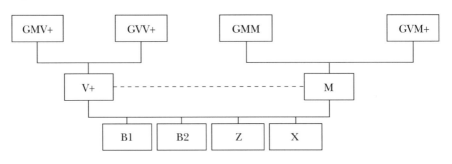

→ X overlijdt en laat na:
  2 broers en een zus (B1, B2 en Z)
  moeder (M)
  grootmoeder langs moederszijde (GMM)
  ⇒   M erft 1/4 van de ganse nalatenschap
        de overige 3/4 van de nalatenschap wordt gelijk verdeeld onder B1, B2 en Z, die
        derhalve elk 1/4 erven

Als beide ouders overleden zijn, krijgen de broers en zussen alles, in gelijke delen (zie Figuur 4). Indien er halfbroers en halfzussen zijn, treedt een correctie op via beperkte kloving (zie verder).

Figuur 4

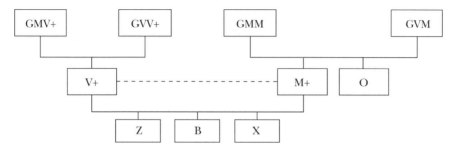

→ X overlijdt en laat na:
1 broer en 1 zus (B en Z)
grootmoeder en grootvader langs moederszijde (GMM en GVM)
oom langs moederszijde (O)
⇒   B en Z erven elk 1/2 van de ganse nalatenschap

Wanneer de ouders niet opkomen met broers of zussen, of als alleen gewone ascendenten aanwezig zijn, is de derde orde aan de beurt. Hier moet onmiddellijk worden gekloofd. Hezelfde geldt voor de vierde orde (zie hierna).

Correctie van de orde-regel via kloving

Stel dat de erflater overlijdt zonder kinderen en broers of zusters na te laten, maar wel zijn vader en twee tantes langs moederskant. Er is niemand in de eerste en de tweede orde. Vader dient zich aan als enige kandidaat uit de derde orde. Strikte toepassing van de orde-regel leidt tot het resultaat dat vader de gehele nalatenschap verkrijgt, vermits hij de tantes uit de vierde orde uitsluit. Dit is nochtans niet de correcte devolutie, ingevolge kloving.

Hier blijkt hoezeer erfrecht bloedrecht is. Zolang de goederen overgaan op personen die gemengd bloed in de aderen hebben, komend van de beide families waaruit de erflater voortspruit, diens vaderlijke en moederlijke tak, is er geen probleem en wordt de orde-regel toegepast zonder correcties. De kinderen van de erflater en hun afstammelingen, zijn broers en zusters en hun afstammelingen, hebben alle gemengd bloed. De vader in ons voorbeeld echter niet. Hij heeft geen bloed uit de moederlijke lijn van de erflater, zijn kind. Toepassing van de orde-regel zou er derhalve toe leiden dat de moederlijke lijn, waarvan het bloed nochtans door de aderen van de erflater stroomde, haar aandeel in de nalatenschap zou verliezen. Om dit te vermijden, moet de nalatenschap worden gekloofd. Dit betekent dat zij wordt opgedeeld in twee helften, één voor de vaderlijke tak of lijn en één voor de moederlijke tak. De orde- en graadregel wordt dan afzonderlijk toegepast binnen elke tak (artikel 733 BW). In bovenstaande casus kan vader alleen opkomen voor de vaderlijke tak en de tantes voor de moederlijke tak. In de vaderlijke tak staat vader in de beste (derde) orde en in de naaste (eerste) graad zodat hij de volledige helft toekomend aan de vaderlijke tak verkrijgt. In de moederlijke tak staan de tantes in dezelfde orde en graad zodat zij elk een gelijk deel verkrijgen van de andere helft van de nalatenschap. Wel voorziet artikel 754 BW in een mildering door vader vruchtgebruik te geven op één derde van de helft toekomend aan de moederlijke tak. Een toepassing daarvan is te lezen in Figuur 5, alwaar de feiten nog wat gevarieerd zijn in die zin dat er nog grootouders zijn langs vaderskant en slechts één tante langs moederskant.

Figuur 5

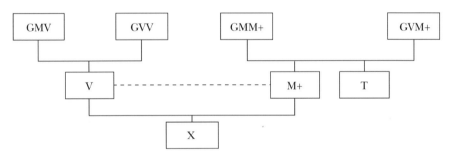

→ X sterft en laat geen afstammelingen, noch broers of zusters (of hun afstammelingen) na, zodat het principe van de kloving dient te worden toegepast, doch met de mildering voorzien in artikel 754 BW:

⇒ in de vaderlijke tak ontvangt de vader (dichtste in graad) 1/2 van de nalatenschap in volle eigendom (via kloving), en 1/6 van de nalatenschap in vruchtgebruik (zijnde 1/3 vruchtgebruik op de helft toekomend aan de tante langs moederszijde, via artikel 754 BW); de tante langs moederszijde ontvangt derhalve 1/6 van de nalatenschap in blote eigendom, en 2/6 van de nalatenschap in volle eigendom. De grootouders langs vaderskant bijten in het zand.

Kloving wordt toegepast op bloedverwanten van de derde en de vierde orde. Is er in de ene lijn geen bloedverwant in erfrechtelijke graad, dan erven de bloedverwanten van de andere lijn geheel de nalatenschap (artikel 755 BW), te verdelen volgens de orde- en graadregels. Zie Figuur 6.

Figuur 6

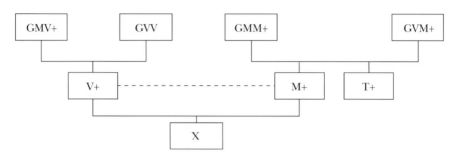

→ X sterft en laat enkel in de vaderlijke lijn zijn grootvader (GVV) na; in de moederlijke lijn zijn
er geen bloedverwanten in erfrechtelijke graad
⇒ GVV erft de ganse nalatenschap

Tevens is er in de tweede orde nog een correctie van beperkte kloving. Als
er halfbroers of halfzussen zijn, die maar één ouder gemeenschappelijk
hebben met de overledene, dan wordt deze beperkte kloving toegepast.
De nalatenschap wordt verdeeld in een vaderlijke en een moederlijke lijn,
beide lijnen ontvangen de helft. Halfbroers of halfzussen erven alleen in
de lijn van hun gemeenschappelijke ouder. Volle broers en zussen erven
in beide lijnen. Zie Figuur 7.

Figuur 7

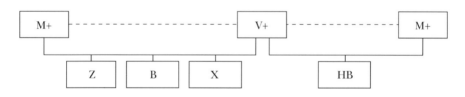

→ X laat een volle broer (B) en zus (Z) na, evenals een halfbroer langs vaderszijde (HB); de
nalatenschap van X dient derhalve te worden opgesplitst in 2 helften, waarbij de ene helft
(van de moederlijke lijn) wordt verdeeld onder zijn volle broer en zus, terwijl de andere helft
(van de vaderlijke lijn) wordt verdeeld onder zijn volle broer en zus én zijn halfbroer.
⇒ Z en B ontvangen dus elk 1/4 van de nalatenschap via de moederlijke lijn + elk 1/6
van de nalatenschap via de vaderlijke lijn (in totaal elk 5/12 van de nalatenschap); HB
ontvangt 1/6 (of 2/12) van de nalatenschap (zijnde 1/3 van de helft die toekomt aan
de vaderlijke lijn).

Correctie van de graad-regel via plaatsvervulling

Strikte toepassing van de graad-regel kan tot onbillijke gevolgen leiden. Zie Figuur 8.

Figuur 8

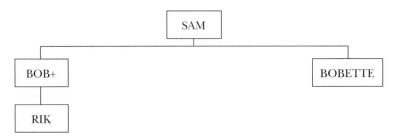

Sam overlijdt en laat twee kinderen na, Bob en Bobette. Bob is echter een jaar voor Sam overleden, met achterlating van een zoontje Rik. Rik en Bobette zijn beiden van de eerste orde, doch Bobette staat in de eerste graad terwijl Rik in de tweede graad staat. De graad-regel noopt tot de conclusie dat Bobette Rik uitsluit en alles krijgt. Hier wordt niet gezondigd tegen de bloed-regel, maar wel tegen de gelijkheidsregel. Een belangrijk principe is immers dat alle bloed gelijk wordt behandeld. Door de graad-regel wordt de tak van Bob gestraft omdat Bob eerder overleed dan zijn vader. Enkel als die tak zou uitgestorven zijn, lijkt het acceptabel dat alles naar Bobette gaat. Nu is Rik er echter als vertegenwoordiger van het bloed van de Bob-tak. Daarom noopt de gelijkheidsregel tot de correctie der plaatsvervulling. Rik kan de plaats van zijn vader innemen, op zijn stoel gaan zitten en, als was hij zijn vader, in diens plaats erven. Door deze truc krijgt Rik de eerstegraadspositie van zijn vader en zal hij, in de plaats van zijn vader, de helft van de nalatenschap van zijn opa krijgen.

De plaatsvervulling staat een erfgenaam toe om in de schoenen van zijn overleden ascendent te gaan staan en zo het aandeel te erven die laatstgenoemde anders zou hebben verkregen (artikel 739 BW). Dit is een fictie, die een erfgenaam toestaat om de plaats in te nemen van zijn voorvader die al is voor-overleden op het moment dat de nalatenschap openvalt[15]. Om te weten of men in de voorwaarden is voor plaatsvervulling, moet rekening worden gehouden zowel met de vraag wiens plaats kan worden ingenomen, als met de vraag wie de plaats kan innemen. Men kan de plaats vervullen van een persoon die reeds is overleden (niet indien louter de

---

[15]   Plaatsvervulling geldt ook in geval van gelijktijdig overlijden (artikel 744 BW).

nalatenschap van de erflater is verworpen), die bekwaam was om te erven (niet onwaardig), en die een afstammeling, broer of zus, oom of tante van de overledene is. Deze plaats kan enkel worden ingenomen door een persoon die een afstammeling is van de persoon wiens plaats is ingenomen (ook al heeft de plaatsvervuller de nalatenschap van laatstgenoemde verworpen) en bekwaam is om te erven. Zie Figuur 9.

Figuur 9

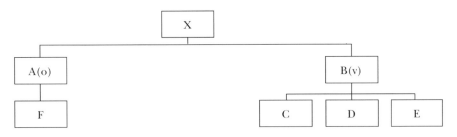

→ X sterft en laat 2 kinderen en 4 kleinkinderen na; A is echter onwaardig om te erven, en B verwerpt de nalatenschap.

⇒ C, D, E en F kunnen niet de plaats van hun ascendenten vervullen, en komen derhalve uit eigen hoofde tot de nalatenschap: ze behoren alle vier tot de eerste orde, en staan in de tweede graad tot de erflater. Zij krijgen dus elk een gelijk deel van een kwart.

Als twee of meer personen erven via plaatsvervulling, dan erven zij niet per hoofd, maar per staak. Zij erven derhalve als één persoon in plaats van de persoon die zij vertegenwoordigen, zodat zij in gelijke delen het aandeel van de reeds overleden erfgenaam moeten verdelen. Zie Figuur 10.

Figuur 10

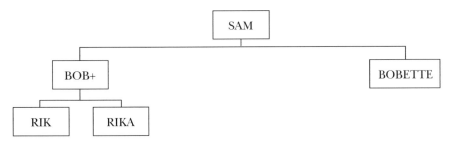

→ Sam overlijdt en laat twee kinderen na, Bob en Bobette. Bob is echter een jaar voor Sam overleden, met achterlating van een zoontje Rik en een dochtertje Rika. Dan zullen Rik en Rika samen op de stoel van Bob gaan zitten, in de nalatenschap van Sam. Zij erven niet per hoofd, samen met Bobette, want dan zou elk een derde krijgen. Zij erven samen, als een staak, het deel van Bob (de helft) en verdelen die staak onder elkaar in gelijke delen zodat zij elk een vierde krijgen en Bobette de helft.

1.4. AANVAARDING EN VERWERPING

Optierecht

Wie geroepen is om te erven, heeft de volle vrijheid om de nalatenschap al dan niet te aanvaarden (artikel 775 BW). Er zijn drie opties: twee extremen, met name zuiver aanvaarden of verwerpen, of een gulden middenweg, dit is de aanvaarding onder voorrecht van boedelbeschrijving (hierna genoemd de beneficiaire aanvaarding). Bij zuivere aanvaarding krijgt men zowel actief als passief: als de schulden van de nalatenschap groter zijn dan de baten, dan moet de erfgenaam daar uit zijn eigen zak voor opdraaien. Bij verwerping krijgt men niets: geen baten en geen lasten. De beneficiaire aanvaarding is hoogstens een nuloperatie (althans civielrechtelijk): de erfgenaam ontvangt maar goederen uit de nalatenschap in de mate dat alle schulden voldaan zijn. Als de passiva van de nalatenschap de activa overstijgen, dan kan de erfgenaam niet worden gevraagd om uit eigen vermogen bij te passen.

Een bepaalde keuze kan niet door de erflater worden opgelegd. De optie is ondeelbaar en kan daarom alleen worden uitgeoefend ten aanzien van de gehele nalatenschap. Het betreft een onafhankelijk en persoonlijk recht dat niet wordt beïnvloed door de keuzes die andere erfgenamen maken. De gevolgen van de keuze worden bij wet bepaald, zonder dat daaraan voorwaarden kunnen worden verbonden. Is de keuze eenmaal gemaakt, dan is deze onherroepelijk. Elke bekwame en meerderjarige erfgenaam beschikt over dit drievoudig optierecht. Voor minderjarigen en onbekwamen gelden uiteraard bijzondere regels (zie artikel 776 BW).

Het optierecht kan gedurende een termijn van dertig jaar worden uitgeoefend, te rekenen vanaf het openvallen van de nalatenschap (artikel 789 BW). Wie als erfgenaam blijft stilzitten, en geen handelingen stelt die als stilzwijgende aanvaarding kunnen gelden, kan in theorie dus dertig jaar nadenken over zijn optie. De inertie kan worden doorbroken doordat een schuldeiser of een mede-erfgenaam via een vordering bij de rechtbank een beslissing kan afdwingen waarbij de talmende erfgenaam wordt veroordeeld als zuiver aanvaardend (artikel 800 BW)[16].

---

[16] Tijdens de termijn van beraad (maximum drie maanden en veertig dagen vanaf het openvallen van de nalatenschap behoudens verlenging door de rechter) kan hij wel de dilatoire exceptie van beraad inroepen (artikel 797 BW).

Zuivere aanvaarding

De zuiver aanvaardende erfgenaam ontvangt alle activa en passiva van de erflater. Deze aanvaarding kan zowel uitdrukkelijk als stilzwijgend gebeuren. Uitdrukkelijke aanvaarding treedt op wanneer men in een authentieke of een onderhandse akte de titel van erfgenaam aanneemt. Stilzwijgende aanvaarding wordt gebaseerd op het gedrag van een erfgenaam. Dit is zo wanneer deze een daad verricht die noodzakelijk zijn bedoeling om te aanvaarden insluit en die hij slechts bevoegd zou zijn te verrichten in zijn hoedanigheid van erfgenaam (artikel 778 BW). Het is evident dat stilzwijgende aanvaarding een delicate aangelegenheid is en tevens een feitenkwestie waarover de rechter zal oordelen rekening houdend met alle concrete omstandigheden[17].

Verwerping

Verwerping van een nalatenschap wordt niet vermoed. Hiervoor is een uitdrukkelijke actie vereist (zie artikel 784 BW). De betrokkene dient een verklaring af te leggen ter griffie van de rechtbank van eerste aanleg[18] van het arrondissement waar de nalatenschap is opengevallen. Deze verklaring wordt opgenomen in een bijzonder daartoe gehouden register.

Beneficiaire aanvaarding

Wie slechts aanvaardt onder het voorrecht van boedelbeschrijving, geeft aan dat hij geen riscio wenst te lopen met zijn eigen vermogen voor de schulden van de erflater. Door de boedelbeschrijving zullen de omvang en de samenstelling van de nalatenschap worden vastgesteld, zowel langs de actief- als langs de passiefzijde. Op basis daarvan wordt de aansprakelijkheid van de erfgenaam voor de schulden van de nalatenschap beperkt tot de activa van de erflater. Het eigen vermogen van de erfgenaam blijft buiten de greep van crediteuren van de erflater. Let wel dat dit niet geldt voor de successierechten die de beneficiaire erfgenaam verschuldigd is. Die zal hij in elk geval moeten betalen, ook al zou de nalatenschap deficitair zijn. Dit kan zich voordoen indien bepaalde activa niet meer aanwezig zijn en de erfgenaam deze dus niet ontvangt, hoewel die fiscaal worden vermoed toch aanwezig te zijn. Zo bv. wanneer de erflater zijn huis verkocht net voor het overlijden en de opbrengst daarvan nergens te vinden is (artikel 108 W. Succ.). De beneficiaire erfgenaam zal successierechten

---

[17]   Zie bv. A. WITTENS, "Stilzwijgende aanvaarding van nalatenschap: de val der onwetendheid", *Notarieel en Fiscaal Maandblad* 2002, 56-69.

[18]   Vergelijkbaar met de Nederlandse arrondissementsrechtbank.

moeten betalen, ook al ontvangt hij niets. De enige bescherming hiertegen is verwerping van de nalatenschap.

Uiteraard zijn ook hier formaliteiten vereist (zie artikel 793 BW). Opnieuw moet een verklaring worden afgelegd ter griffie van de rechtbank van eerste aanleg. Deze wordt ingeschreven in hetzelfde register als dat der verwerpingen. De griffier zorgt binnen de vijftien dagen voor een publicatie in het Belgisch Staatsblad met verzoek aan schuldeisers en legatarissen om hun vorderingen en rechten te doen kennen binnen de drie maanden na deze publicatie. De verklaring van beneficiaire aanvaarding heeft slechts kracht voorzover deze is voorafgegaan of gevolgd door een getrouwe en nauwkeurige notariële boedelbeschrijving (artikel 794 BW). Zie reeds sub 1.1. over het beheer van een beneficiaire nalatenschap.

Gedwongen aanvaarding

Indien een erfgenaam goederen van de nalatenschap wegmaakt of verborgen houdt, dan verliest hij het recht om de nalatenschap te verwerpen. Hij zal dan krachtens de wet worden beschouwd als zuiver aanvaardende erfgenaam (artikel 801 BW) die geen enkele aanspraak meer kan maken op een aandeel in de weggemaakte of verborgen gehouden zaken (artikel 792 BW).

HOOFDSTUK 2.
VERSTERF-ERFRECHT MET ECHTGENOOT

2.1. HUWELIJKSVERMOGENSRECHT KOMT VOOR ERFRECHT

Om de vermogenspositie van de langstlevende echtgenoot correct te bepalen, dient in de eerste plaats rekening te worden gehouden met het huwelijksvermogensstelsel waaronder de echtgenoten zijn gehuwd[19]. Hierbij is het fundamenteel om goed voor ogen te houden dat huwelijksvermogensrecht voor erfrecht komt.

In een stelsel van gemeenschap van goederen spreekt dit voor zich. Bij overlijden van een echtgenoot moet conform het huwelijksvermogensrecht eerst het gemeenschappelijk vermogen worden vereffend en verdeeld. Althans in theorie. Immers, in de praktijk komt het vaak voor dat de weduwe en kinderen in onverdeeldheid blijven tot het overlijden van de weduwe. Na de (minstens theoretische) huwelijksvermogensrechtelijke afwikkeling kan worden bepaald welk deel van het vermogen de nalatenschap vormt. Hetzelfde principe geldt evenzeer bij stelsels van scheiding van goederen (uitsluiting van gemeenschap). Ook dergelijk regime moet eerst worden vereffend en verdeeld. Ondanks de theoretische scheiding van goederen zullen in de praktijk bijna steeds onverdeeldheden[20] tussen de echtgenoten bestaan, die net zoals een gemeenschap moeten worden vereffend en verdeeld.

Het belang van deze basisregel blijkt *a fortiori* in internationale situaties, waarbij door toepassing van het internationaal privaatrecht een ander materieel toepasselijk recht kan worden aangeduid voor de regeling van het huwelijksvermogensrecht en voor de afwikkeling inzake erfrecht[21].

---

[19] In tegenstelling tot Nederland (geregistreerd partnerschap, artikel 80b Boek 1 Ned. BW) is in België het huwelijksvermogensrecht enkel van toepassing op gehuwden. Wel bestaat sinds 1 januari 2000 de regeling inzake wettelijke samenwoning waarbij een – weliswaar beperkt – aantal huwelijksvermogensrechtelijke regels naar analogie van toepassing wordt gemaakt op de samenwoners (Wet van 23 november 1998, *B.S.* 12 januari 1999, die de artikelen 1475-1479 invoert in het Belg. BW). Noch de problematiek van de wettelijke samenwoners, noch van de feitelijke samenwoners wordt in dit boek behandeld. Voorts dient nog te worden opgemerkt dat op 28 februari 2003 in het *Belgisch Staatsblad* de Wet van 13 februari 2003 tot openstelling van het huwelijk voor personen van hetzelfde geslacht en tot wijziging van een aantal bepalingen van het Burgerlijk Wetboek werd gepubliceerd. Conform artikel 23 van de wet zou deze in werking treden op 1 juni 2003. Zie tevens de Omzendbrief van 8 mei 2003 bij deze wet vanwege de Minister van Justitie, *Belgisch Staatsblad* 16 mei 2003, Ed. 4, 27139-27142.

[20] In Nederland een eenvoudige ongebonden gemeenschap.

[21] Zie voor concrete toepassingen daaromtrent in Hoofdstuk 6.

2.2. EEN VRIJ BEHOORLIJKE REGELING VOOR DE LANGSTLEVENDE ECHTGENOOT

In het Belgische regelend recht is vrij goed gezorgd voor de langstlevende echtgenoot. Zijn positie is niet zo sterk als deze van de Nederlandse weduwe/weduwnaar, die sinds 1 januari 2003, onder vigeur van het nieuwe erfrecht, met de wettelijke verdeling op rozen zit. Toch kan ook de Belgische langstlevende niet klagen[22].

Van hetgeen tijdens het huwelijk als aanwinst is opgebouwd, verkrijgt zij de helft in volle eigendom. Van de andere helft evenals van het eigen vermogen van de overledene kan zij profiteren en genieten haar leven lang, via een recht van vruchtgebruik. Voor de gezinswoning en huisraad is voorzien in verschillende bijzondere beschermingsmechanismen zodat het woonmilieu van de langstlevende verzekerd is. Als zij van het vruchtgebruik af wil, dan kan zij omzetten of cashen op een manier die haar oude dag normaliter niet in het gedrang kan brengen.

In de hiernavolgende rubrieken worden deze krachtlijnen, zowel op het vlak van het huwelijksvermogensrecht als op het vlak van het erfrecht, nader besproken.

2.3. HUWELIJKSVERMOGENSRECHT

Primair vs. secundair en wettelijk vs. contractueel stelsel

In het huwelijksvermogensrecht worden alle vermogensrechtelijke gevolgen van het huwelijk geregeld, zowel tussen de echtgenoten onderling als ten aanzien van derden, zoals schuldeisers. Vier termen worden in dit verband courant gehanteerd: primair tegenover secundair stelsel en wettelijk tegenover contractueel stelsel.

Het *primair stelsel* is vergelijkbaar met de (onlangs gewijzigde) Nederlandse titel 6 van Boek 1 betreffende de rechten en plichten der echtgenoten. Het primair stelsel is van dwingende toepassing op alle gehuwden, ongeacht hun huwelijkscontract (overeenkomst van huwelijkse voorwaarden). In de artikelen 212-224 BW vinden wij naast regels op het persoonlijke vlak (bv. de verplichting tot samenwoning en getrouwheid in artikel 212 BW), ook belangrijke vermogensrechtelijke bepalingen. Enkele voorbeelden: Over de gezinswoning (ook al is die een eigen goed van een echtgenoot) mag door deze eigenaar niet worden beschikt of met hypotheek bezwaard zonder de instemming van de andere echtgenoot (artikel 215 § 1 BW).

---

[22]   Hierna hanteer ik de term langstlevende in de vrouwelijke vorm. Mutatis mutandis geldt hetzelfde voor een mannelijke langstlevende echtgenoot.

Echtgenoten zijn hoofdelijk aansprakelijk voor schulden door een van hen aangegaan ten behoeve van de huishouding en de opvoeding van de kinderen, behoudens indien dergelijke schuld buitensporig is rekening houdend met de bestaansmiddelen van het gezin (artikel 222 BW)[23].

De schenking van een eigen goed of een persoonlijke zekerheidstelling (bv. borgstelling) door één echtgenoot, kan door de rechter worden nietig verklaard indien de kwestieuze handeling de belangen van het gezin in gevaar brengt (artikel 224 BW). In tegenstelling tot de Nederlandse titel 6 is in het Belgische primair stelsel geen algemene bestuursregeling te vinden. Wel zijn in een aantal artikelen enige bestuursaspecten opgenomen. Zo bepaalt artikel 217 BW dat elke echtgenoot zijn inkomsten alleen ontvangt en deze bij voorrang besteedt aan zijn bijdrage in de lasten van het huwelijk. In artikel 218 BW wordt bepaald dat elke echtgenoot zonder instemming van de ander op zijn naam een bankrekening kan openen en daaromtrent, ten opzichte van de bank, wordt geacht alleen het bestuur te hebben[24]. In artikel 219 BW wordt de mogelijkheid van lastgeving tussen echtgenoten bevestigd, met dien verstande dat deze steeds kan worden herroepen, zodat een lastgeving niet kan worden opgenomen in een huwelijkscontract.

Het *secundair stelsel* is het eigenlijke huwelijksvermogensstelsel dat alle vermogensrechtelijke aspecten van het huwelijk regelt, zowel tijdens als op het einde van de rit. De term secundair wijst erop dat het hier om regelend of aanvullend recht gaat. De echtgenoten kunnen, behoudens de beperkingen van het primair stelsel, vrij en naar goeddunken hun huwelijksgoederenregime regelen (artikel 1387 BW).

Binnen het raam van dit secundair stelsel situeert zich het tweede begrippenkoppel: wettelijk en contractueel stelsel. Als echtgenoten niets doen, geen specifieke regeling treffen voor het huwelijk, dan valt, dezelfde seconde dat beiden het jawoord hebben uitgesproken, het *wettelijk stelsel* op hun dak. Als de aanstaande gehuwden voor de huwelijkssluiting bij een notaris langsgeweest zijn voor het sluiten van een huwelijkscontract, dan spreken wij over een *contractueel stelsel*. Voor de goede orde wijs ik er nu al op dat echtgenoten ook tijdens het huwelijk, zoals in de meeste Europese landen, een wijziging aan of van het secundair stelsel kunnen doorvoeren, derwijze dat zij overgaan van het wettelijk stelsel naar een contractueel stelsel of omgekeerd, of van één contractueel stelsel naar een ander con-

---

[23] Zie mijn kritiek hierop, onder meer in "Huwelijksvermogensrecht voor een nieuwe eeuw", *NJB* 2001, 1989-1990.

[24] Dit artikel regelt dus niet het eigendomsrecht over de gelden op de rekening, alleen het bestuur van de rekening.

tractueel stelsel (artikelen 1394-1396 BW). Ook dit onderscheid tussen wettelijk en contractueel stelsel is op internationaal privaatrechtelijk vlak van belang[25].

Wettelijk stelsel der gemeenschap van aanwinsten

Het Belgische wettelijk stelsel is een regime van gemeenschap van aanwinsten. Er bestaan derhalve drie vermogens: het eigen vermogen van elk van beide echtgenoten en het gemeenschappelijk vermogen van beide echtgenoten (artikel 1398 BW)[26]. Het gemeenschappelijk vermogen is geen rechtspersoon of een onverdeeldheid, het is een vermogen met een statuut *sui generis*. Het is een gebonden gemeenschap met enige bijzondere kenmerken. Dergelijk gemeenschappelijk vermogen kan enkel bestaan binnen een stelsel van gemeenschap van goederen[27]. Het wordt gekenmerkt door een dubbel vermoeden van gemeenschap, specifieke bestuursregels en een afwijkende verhaal-regeling (zie verder over dit alles). De gebondenheid werkt zowel intern tussen de echtgenoten, als extern ten aanzien van schuldeisers[28]. Echtgenoten kunnen de verdeling of ontbinding niet vragen buiten de door de wet toegelaten omstandigheden (wijziging stelsel, echtscheiding, overlijden – zie artikel 1427 BW). Privé-schuldeisers kunnen dat evenmin en moeten voor de uitwinning van het aandeel van hun debiteur in de gemeenschap de ontbinding van het stelsel afwachten (zie hierna).

Actief

Het gemeenschappelijk vermogen is een spons die alle goederen (en schulden – zie hierna) opzuigt, tenzij het bewijs van het eigen karakter wordt geleverd. Alle activa worden vermoed gemeenschappelijk te zijn, tenzij bewijs van het tegendeel (artikel 1405.4 BW). Het eigen karakter wordt bepaald aan de hand van drie criteria: het tijd-criterium, het oorsprong-criterium en het soort-criterium.

Volgens het tijd-criterium behoren alle activa van voor het huwelijk tot het eigen vermogen van elke echtgenoot. Men noemt dit ook de tegenwoordige goederen, of de voorhuwelijkse goederen (artikel 1399, eerste alinea BW).

---

[25] Daarover nader in Hoofdstuk 6.

[26] Door artikel 17 van de geciteerde Wet van 13 februari 2003 op het homohuwelijk worden de bewoordingen van artikel 1398 BW in die zin aangepast.

[27] Aan een stelsel van scheiding van goederen (uitsluiting van gemeenschap) kan een gemeenschappelijk vermogen worden toegevoegd met louter interne werking tussen de echtgenoten (zie verder).

[28] Zie mijn kritiek op deze externe werking in "Naar een billijk relatie-vermogensrecht", *Tijdschrift voor Privaatrecht* 2001, 373-402.

Niet alles wat tijdens het huwelijk is verkregen, is daarom gemeenschappelijk. Dit zal afhangen van de twee bijkomende criteria.

Het oorsprong-criterium bepaalt immers dat alle goederen, ook al zijn die verkregen tijdens het huwelijk, die afkomstig zijn van een schenking, een erfenis of een testament tot het eigen vermogen behoren van de begiftigde echtgenoot (artikel 1399, eerst alinea *in fine* BW). In België is een uitsluitings- of privé-clausule dus niet zo noodzakelijk als in Nederland[29]. Hier kent men eventueel de omgekeerde clausulering, waarbij wordt bepaald dat een schenking of legaat toekomt aan beide echtgenoten samen of dat de verkrijging gemeenschappelijk zal zijn (artikel 1405.3 BW). Dergelijk beding komt in de praktijk zelden voor, onder meer om fiscale redenen.

Ten derde is er nog het soort-criterium dat ertoe leidt dat goederen verkregen tijdens het huwelijk en onder bezwarende titel toch niet gemeenschappelijk, maar eigen zijn, precies omwille van de bijzondere aard van deze goederen. Dit doet denken aan de Nederlandse verknochtheidsregel. Een uitgebreide lijst van deze goederen is te vinden in de artikelen 1400 en 1401 BW. Deze vermeld in artikel 1400 kunnen aanleiding geven tot een vergoedingsplicht aan het gemeenschappelijk vermogen (bij de ontbinding van het stelsel) indien het goed door de gemeenschap is gefinancierd[30]. De goederen vermeld in artikel 1401 BW zijn eigen, zonder dat een vergoedingsplicht kan ontstaan. Het betreft hier zeer persoonlijke goederen zoals kleren en voorwerpen voor persoonlijk gebruik, literaire, artistieke of intellectuele eigendomsrechten, het recht op herstel van persoonlijke lichamelijke of morele schade, het recht op pensioen of lijfrente, lidmaatschapsrechten van aandelen ingeschreven op naam van of toebedeeld aan één echtgenoot in een vennootschap waarin alle aandelen op naam zijn.

Al hetgeen derhalve tijdens het huwelijk is verworven onder bezwarende titel (behoudens zaakvervanging, belegging of wederbelegging van eigen vermogen) behoort tot het gemeenschappelijk vermogen. Aldus zijn alle inkomsten uit beroepsbezigheden en inkomsten of vergoedingen die deze vervangen of aanvullen, evenals de inkomsten uit openbare of particuliere mandaten (artikel 1405.1 BW), en al hetgeen daarmee aangekocht of belegd wordt, aanwinsten uit het huwelijk en bijgevolg gemeenschappelijk.

---

[29]   Hoewel het nuttig kan zijn voor het uitzonderlijke geval dat de begiftigde zou gehuwd zijn onder een huwelijkscontract van algehele gemeenschap van goederen, of in de toekomst zijn stelsel in die zin zou wijzigen.

[30]   Bv. toebehoren van eigen onroerende goederen en waardepapieren; goederen eigen ingevolge zaakvervanging, belegging of wederbelegging; gereedschappen en werktuigen die dienen tot de uitoefening van het beroep.

In het Belgische recht zijn ook de inkomsten uit eigen goederen gemeenschappelijk. Deze regel geeft vaak aanleiding tot problemen bij vereffeningverdeling, ingevolge de vermenging van dergelijke inkomsten (gemeenschappelijk) met eigen kapitaal. Te verkiezen is de regel dat inkomsten uit eigen vermogen eigen zijn, zoals in de Amerikaanse *community property* staten het geval is. Dit principe kan ook in België worden toegepast, maar dan moeten de echtgenoten daarin uitdrukkelijk voorzien in hun huwelijkscontract.

Het vermoeden van gemeenschap maakt de bewijsregeling essentieel. Het eigen karakter van goederen wordt slechts aanvaard indien het bewijs daarvan volgens de voorgeschreven regels wordt geleverd. Er is eigenlijk een dubbele bewijslast. Ten eerste moet in abstracto worden aangetoond dat een goed behoort tot de categorie van eigen goederen zoals voornoemd. Ten tweede moet dit eigen karakter ook nog in concreto worden bewezen. Hierbij wordt een onderscheid gemaakt voor de bewijsvoering ten aanzien van derden (artikel 1399 tweede lid BW), die strikter is, en deze tussen echtgenoten (artikel 1399 eerste lid BW), die zeer soepel is. Ten aanzien van derden wordt het bewijs geleverd door een boedelbeschrijving of een regelmatig bezit, of aan de hand van titels met vaste datum, of onverdachte stukken zoals bescheiden van een openbare dienst of vermeldingen in regelmatig gehouden registers en dergelijke. Tussen echtgenoten kan het bewijs worden geleverd met alle middelen van recht, met inbegrip van getuigen, vermoedens en algemene bekendheid.

Hiermee houdt ook de regeling voor zaakvervanging, belegging en wederbelegging verband (artikelen 1402-1404 BW). Het is voornamelijk van belang voor ogen te houden dat wederbelegging in onroerend goed slechts effect sorteert indien niet alleen bewezen wordt dat meer dan de helft met eigen fondsen wordt betaald, maar ook in de aankoopakte een uitdrukkelijke verklaring van wederbelegging wordt gedaan. Bij gebreke daarvan zal het onroerend goed gemeenschappelijk zijn, mits vergoeding aan het eigen vermogen, bij de ontbinding van het stelsel, van het gefinancierde bedrag, proportioneel berekend, rekening houdend met een eventuele meerwaarde van het huis, doch niet met waardevermindering (artikel 1435 BW)[31].

Passief

De vraag of een schuld eigen of gemeenschappelijk is, is voornamelijk relevant voor de interne verhouding tussen de echtgenoten, met name bij de ontbinding van het stelsel. Dit noemt men het definitief passief: wie zal

---

[31]   Zie mijn kritiek in "Krachtlijnen voor een wettelijk huwelijksvermogensstelsel", in *Algehele gemeenschap van goederen: afschaffen!?*, *Ars Notariatus CVII*, Deventer, Kluwer, 2000, 41-42.

uiteindelijk moeten bijdragen in welke schulden *(contributio)*. Dit definitief passief vormt het spiegelbeeld van het actief: *Ubi emolumentum, ibi onus.* Aldus zijn voorhuwelijkse schulden en schulden verbonden aan schenking, erfenis of legaat eigen (artikel 1406 BW). Daarenboven zijn ook eigen, conform artikel 1407 BW, de schulden die een echtgenoot is aangegaan in het uitsluitend belang van het eigen vermogen, schulden ontstaan uit een persoonlijke of zakelijke zekerheid door een echtgenoot gesteld in een ander belang dan dat van het gemeenschappelijk vermogen, schulden volgend uit een verboden beroep (krachtens artikel 216 BW) of uit handelingen die een echtgenoot niet mocht stellen zonder medewerking van de ander, schulden die voortvloeien uit een strafrechtelijke veroordeling of onrechtmatige daad begaan door een echtgenoot. Ook ten aanzien van het passief geldt, zoals vermeld, een dubbel vermoeden ten gunste van de gemeenschap. Schulden waarvan niet is bewezen dat zij eigen zijn, zijn gemeenschappelijk, zo luidt artikel 1408 in fine BW. De opsomming van gemeenschappelijke schulden in artikel 1408 BW is derhalve louter exemplarisch en niet limitatief. Vermeld worden onder meer schulden door beide echtgenoten gezamenlijk of hoofdelijk aangegaan, schulden door een echtgenoot gemaakt ten behoeve van de huishouding en de opvoeding van de kinderen[32], schulden door een echtgenoot aangegaan in het belang van het gemeenschappelijk vermogen.

Tegenover het definitief passief staat het voorlopig passief. Dit betreft de verhaalrechten van schuldeisers *(obligatio)*, en is derhalve niet alleen relevant bij de ontbinding van het stelsel, maar ook en vooral "en cours de route", tijdens het huwelijk. De regels van artikelen 1409-1414 BW geven aan welke schuldeisers op welke goederen verhaal kunnen uitoefenen en hun vordering kunnen uitwinnen. Er zijn twee eenvoudige vuistregels:

Primo: een schuld aangegaan door de twee echtgenoten, zelfs in verschillende hoedanigheid (de een bv. als schuldenaar en de ander als borgsteller), kan worden verhaald op alle drie de vermogens, dit is het eigen vermogen van de man en van de vrouw en het totale gemeenschappelijk vermogen (artikel 1413 BW);
    Secundo: bij een schuld aangegaan door één echtgenoot mag de schuldeiser uitgaan van het vermoeden van volkomen gemeenschappelijke schuld en bijgevolg beslag leggen op de drie vermogens, zoals hiervoren (artikel 1414 eerste lid BW).

---

[32]   In een stelsel van gemeenschap zijn dergelijke schulden gemeenschappelijk. In een stelsel van scheiding van goederen is dergelijke schuld eigen, maar zullen beide echtgenoten toch hoofdelijk gehouden zijn op grond van artikel 222 BW (zie hoger).

Indien in deze laatste hypothese beslag wordt gelegd op een gemeenschappelijk goed, kan hiertegen met succes verzet worden aangetekend (artikel 1514 Gerechtelijk Wetboek) indien het bewijs wordt geleverd dat de betrokken schuld een eigen schuld is in hoofde van de echtgenoot die de schuld is aangegaan. In dat geval is de verhaalbaarheid beperkt tot het eigen vermogen van deze debiteur en zijn inkomsten (artikel 1409 BW). Een uitbreiding van het verhaal op een deel van het gemeenschappelijk vermogen is onder omstandigheden mogelijk in de mate dat de schuldeiser het bewijs levert van verrijking (artikel 1410 BW) of voordeel (artikel 1411 BW) voor het gemeenschappelijk vermogen. Een uitzonderlijke uitbreiding van het verhaal op de netto-helft van het gemeenschappelijk vermogen is mogelijk voor schulden ontstaan uit strafrechtelijke veroordeling of onrechtmatige daad (artikel 1412 BW).

Een tweede mogelijkheid van verzet doet zich voor wanneer een schuldeiser beslag legt op het eigen vermogen van de echtgenoot van de schuldenaar. Indien deze kan aantonen dat de schuld geen volkomen, maar een onvolkomen gemeenschappelijke schuld is (artikel 1414 tweede lid BW), dan moet het beslag beperkt blijven tot het eigen vermogen van de debiteur en het totale gemeenschappelijk vermogen, en kan het eigen vermogen van die echtgenoot derhalve niet worden uitgewonnen. Type-voorbeelden van dergelijke onvolkomen gemeenschappelijke schuld zijn schulden door een echtgenoot aangegaan in de uitoefening van zijn beroep en schulden door een echtgenoot aangegaan ten behoeve van de huishouding en opvoeding van de kinderen, die gelet op de bestaansmiddelen van het gezin, buitensporig zijn.

Bestuur

Volgens artikel 1415, eerste lid BW omvat het bestuur alle bevoegdheden van genot, beheer en beschikking. De wet van 14 juli 1976 introduceerde de juridische gelijkheid tussen man en vrouw. Daaruit volgt de evidente regel van alleenbestuur voor het eigen vermogen (artikel 1425 BW), onverminderd de reeds aangehaalde beperkingen uit het primair stelsel. Een evenwichtige bestuursregeling uitdokteren voor het gemeenschappelijk vermogen is minder voor de hand liggend. Getuige daarvan de eigenaardige Nederlandse bestuursregeling[33].

In het Belgische recht werd gekozen voor het principe van het concurrentieel bestuur. Dit betekent dat het gemeenschappelijk vermogen wordt bestuurd door de ene of door de andere echtgenoot, die elk apart en alleen

---

[33] Zie mijn kritiek in "Krachtlijnen voor een wettelijk huwelijksvermogensstelsel", *geciteerd*, 58-60 en in "Huwelijksvermogensrecht voor een nieuwe eeuw", *NJB* 2001, 1987-1993.

kan optreden, waarbij de ander gehouden is om de handelingen door de ene gesteld te eerbiedigen, op basis van het anterioriteitsprincipe (artikel 1416 BW). Hierbij moet worden opgemerkt dat deze bestuursbevoegdheid doelgebonden of teleologisch is. Het tweede lid van artikel 1415 BW bepaalt uitdrukkelijk dat de gemeenschap moet worden bestuurd in het belang van het gezin. Onder omstandigheden is de nietigverklaring mogelijk van een handeling verricht door de ene echtgenoot, op verzoek van de andere echtgenoot, in geval van bedrieglijke benadeling van de rechten van deze laatste (artikel 1424 BW).

Het principe van het concurrentieel bestuur kent afwijkingen langs beide zijden van het spectrum. Voor heel wat belangrijke rechtshandelingen is de toestemming van beide echtgenoten vereist, hetgeen neerkomt op een regel van gezamenlijk bestuur. Het betreft onder meer de aankoop, verkoop of hypothekering van onroerend goed, het aangaan van een lening, het schenken van gemeenschapsgoederen (artikelen 1418-1419 BW). Verder is, in het raam van een beroepsactiviteit, gezamenlijk bestuur de regel, behoudens voor daden van beheer, wanneer beide echtgenoten samen een zelfde beroep uitoefenen (artikel 1417, tweede lid BW). Daartegenover staat meteen de uitzondering van de andere zijde, het alleenbestuur door één echtgenoot. Dit is de regel voor alle noodzakelijke bestuurshandelingen in het raam van een beroep dat een echtgenoot alleen uitoefent (artikel 1417, eerste lid BW). In dit laatste geval primeert de regel van het alleenbestuur boven de bijzondere regeling van artikel 1418 BW.

Ontbinding –Vereffening –Verdeling

Bij echtscheiding of overlijden van een echtgenoot wordt het gemeenschappelijk vermogen automatisch ontbonden (artikel 1427 BW). De vereffening van het stelsel omvat het opstellen der vergoedingsrekeningen (artikelen 1432-1438 BW), de verrekening der schulden (artikelen 1439-1441 BW) en de verrekening van de vergoedingen tussen de echtgenoten (artikelen 1442-1444 BW). Aldus bekomt men in voorkomend geval een batig netto saldo, dat dan in gelijke helften moet worden verdeeld (artikel 1445 BW).

De gelijke verdeling wordt in de praktijk via huwelijkscontract vaak aangepast, ter bescherming van de langstlevende echtgenoot (zie hierna). De artikelen 1446-1447 BW voorzien ook nog in een preferentiële toebedeling van gezinswoning en huisraad, alsook van het onroerend goed voor de uitoefening van het beroep. Dit is een recht voor de langstlevende echtgenoot. In geval van echtscheiding is het een voordeel dat door elk der echtgenoten kan worden gevraagd, en waaromtrent door de rechter wordt beslist met inachtneming van de maatschappelijke en de gezinsbelangen, evenals de eventuele vergoedings- en vorderingsrechten van de andere echtgenoot[34].

Contractuele stelsels – Huwelijkscontracten

Algemene principes

Het Belgische recht respecteert in verregaande mate de contractuele vrijheid van partijen. Echtgenoten regelen hun huwelijksovereenkomsten naar goeddunken, voorzover daarin niets wordt bepaald in strijd met de openbare orde of de goede zeden (artikel 1387 BW). Naast de gemeen-rechtelijke vereisten van toestemming, bekwaamheid, oorzaak en voorwerp voor een geldige overeenkomst, zijn er nog enkele bijzondere vereisten, zowel inhoudelijk als formeel.

Inhoudelijk mogen de echtgenoten in hun huwelijkscontract niet afwijken van de regels van het primair stelsel (dat zoals gezegd dwingend is), noch van de regels betreffende ouderlijk gezag en voogdij[35], noch van de regels die de wettelijke orde van de erfopvolging bepalen[36] (artikel 1388 BW). Een uitzondering op dit laatste wordt, onder bepaalde voorwaarden, moge-lijk ten aanzien van de langstlevende echtgenoot. De Wet tot wijziging van sommige bepalingen van het Burgerlijk Wetboek in verband met het erf-recht van de langstlevende echtgenoot vult artikel 1388 BW aan met een nieuw lid (zie nader in Hoofdstuk 4, nr. 4.3.).

Een buitenlands huwelijksgoederenregime kan niet worden gekozen door eenvoudige verwijzing daarnaar, zodra één der echtgenoten Belg is (artikel 1389 BW). Dergelijk stelsel zal volledig en in detail moeten worden beschre-ven in het huwelijkscontract. Een huwelijkscontract moet worden opge-maakt voor de huwelijkssluiting, bij notariële akte (artikel 1392 BW). België kent geen huwelijksgoederenregister.

Wijzigingen aan het huwelijksvermogensstelsel of verandering van stelsel tijdens het huwelijk zijn mogelijk, volgens een welbepaalde procedure die

---

[34] Inzake de niet-toepassing van artikel 1447 BW (ingevolge het overgangsrecht van de Wet van 14 juli 1976) op echtgenoten gehuwd onder het oude stelsel van gemeenschap beperkt tot de aanwinsten, werd door de rechtbank van eerste aanleg te Leuven aan het Arbitragehof een prejudiciële vraag gesteld. In zijn arrest van 22 januari 2003 oordeelt het Hof dat de betreffende bepaling uit het overgangsrecht de artikelen 10 en 11 van de Grondwet niet schendt.

[35] In België nog recent gewijzigd door de Wet van 29 april 2001, *BS* 31 mei 2001, in werking getreden op 1 augustus 2001. Zie de commentaren opgenomen in de bibliografie.

[36] Het betreft de dwingende regels van het reservataire erfrecht, hierna besproken in Hoofd-stuk 4.

onlangs nog door de wet van 9 juli 1998[37] werd vereenvoudigd (artikelen 1394-1396 BW). De wijziging kan op om het even welk tijdstip gebeuren (geen vervaldata of wachttermijnen) en zoveel als men wil. Men onderscheidt de kleine, de middelgrote en de grote wijziging.

De kleine wijziging doet zich voor wanneer er geen vereffening optreedt van het bestaande stelsel en evenmin een dadelijke verandering in de samenstelling der vermogens (bv. toevoeging van een verblijvingsbeding in een stelsel van gemeenschap of herroeping van een schenking tussen echtgenoten) (artikel 1394, lid 4 BW). In dat geval volstaat een notariële akte en dienen de echtgenoten niet voor de rechter te verschijnen om de wijziging te laten homologeren (artikel 1395 § 1, lid 1 BW).

Bij de middelgrote en de grote wijziging is de rechterlijke homologatie wel vereist. De middelgrote wijziging betreft een wijziging in het gemeenschappelijk vermogen zonder dat het stelsel voor het overige wordt gewijzigd (artikel 1394, lid 5 BW). De formaliteiten van boedelbeschrijving en akte van regeling van wederzijdse rechten zijn hier niet vereist, behoudens indien één der echtgenoten of de rechtbank daarom verzoekt. De grote wijziging betreft bv. de overgang naar een ander stelsel. De rechter die over de middelgrote en grote wijziging moet oordelen, moet vaststellen dat de wijziging geen afbreuk doet aan de belangen van het gezin of van de kinderen, evenals aan de rechten van derden, zoals schuldeisers (artikel 1395 BW)[38].

De genoemde Wet tot wijziging van sommige bepalingen van het Burgerlijk Wetboek in verband met het erfrecht van de langstlevende echtgenoot brengt met zijn artikel zes, twee veranderingen inzake wijziging van huwelijksvermogensstelsels. Een eerste aanpassing is de logische aanvulling van de wettelijke bepalingen met de nieuwe mogelijkheid om via wijzigingsakte een regeling te treffen over het erfrecht van de langstlevende. Aldus diende te worden bepaald of dergelijke regeling kan geschieden bij kleine, middelgrote of grote wijziging. Het spreekt voor zich dat de kleine wijziging hier moet volstaan. Bijgevolg wordt het vierde lid van artikel 1394 BW vervangen derwijze dat er wordt aan toegevoegd dat ook een regeling over het erfrecht van de langstlevende conform artikel 1388 BW (zie nader nr. 4.3.) een kleine wijziging is. Aldus volstaat een notariële akte en is de rechterlijke goedkeuring van artikel 1395 BW niet vereist.

---

[37]   *BS* 7 augustus 1998.
[38]   Zie bv. A. VERBEKE, "Bescherming van schuldeisers bij wijziging van huwelijksvermogensstelsel", *Tijdschrift voor Notarissen* 1993, 91-111.

Een tweede aanpassing heeft niets te maken met de nieuwe mogelijkheid tot regeling van het erfrecht van de langstlevende. Van de nieuwe wet is gebruik gemaakt om daarin definitief een technisch discussiepunt te beslechten dat sinds de genoemde wet van 1998 rechtspraak en rechtsleer verdeelde. Zoals vermeld kan een verdelingsbeding via kleine wijziging worden ingelast en kan de inbreng van een goed in het gemeenschappelijk vermogen via middelgrote wijziging geschieden. Een minderheidsstrekking in doctrine en rechtspraak meende – totaal ten onrechte – dat een wijziging die beide voornoemde bedingen combineert, meteen aanleiding geeft tot een grote wijziging. Dit standpunt werd gebaseerd op een letterlijke lezing van artikel 1394, lid 5, eerste zin BW, waarin wordt bepaald dat de middelgrote wijziging enkel geldt wanneer een wijziging wordt aangebracht in het gemeenschappelijk vermogen "zonder dat voor het overige het huwelijksvermogensstelsel wordt gewijzigd". Door aan de inbreng van een goed in de gemeenschap ook een verdelingsbeding te koppelen, wordt het stelsel voor het overige gewijzigd, zodat de grote procedure van toepassing is, zo argumenteerden deze legisten. Hoewel de meerderheid in rechtspraak en rechtsleer dit standpunt betwistten, bleek dit voor de praktijk en voor de rechtszekerheid toch een vervelende kwestie te zijn.

Op suggestie van het notariaat en met steun van de Minister van Justitie werd dan ook van de gelegenheid gebruik gemaakt om dit punt te regelen. De eerste zin van het genoemde vijfde lid van artikel 1394 BW wordt als volgt gewijzigd: "De boedelbeschrijving en de regeling van wederzijdse rechten zijn evenmin vereist wanneer een wijziging wordt aangebracht in het gemeenschappelijk vermogen, zonder dat voor het overige het huwelijksvermogensstelsel dermate wordt gewijzigd dat het volledig moet worden vereffend". Bijgevolg staat nu duidelijk vast dat voor de inbreng van een goed in de gemeenschap in combinatie met een beding waarvoor een kleine wijziging volstaat, zoals bv. een verdelingsbeding, waaruit uiteraard niet de volledige vereffening van het stelsel volgt, niet de grote procedure moet worden gevolgd[39].

Huwelijkscontract van gemeenschap van goederen

Huwelijkscontracten van gemeenschap van goederen wijzigen het wettelijk stelsel van gemeenschap van aanwinsten. Artikel 1451 BW fungeert als een sluis die bepaalde aspecten van het wettelijk stelsel als dwingende regeling oplegt aan alle huwelijkscontracten die als een stelsel van gemeenschap worden gekwalificeerd. Van een stelsel van gemeenschap is sprake zodra

---

[39] Cf. *Parl. St.* Kamer 2001-2002, Doc. 50, 1353/007, p. 3.

de inkomsten uit beroepsactiviteit volgens de regels van het huwelijkscontract automatisch en van rechtswege in het gemeenschappelijk vermogen vallen[40]. Elk huwelijkscontract dat een stelsel van gemeenschap installeert, dient op dwingende wijze rekening te houden met de regels van bestuur uit het wettelijk stelsel, evenals de regels van de verhaalbaarheid van schulden. Wijzigingen aan het wettelijk stelsel doen zich voor op een dubbel vlak, met name terzake van de samenstelling van de gemeenschap of de verdeling van de gemeenschap.

Aldus kan het gemeenschappelijk vermogen in beperkte mate worden verminderd (bv. inkomsten van eigen goederen als eigen kwalificeren – zie hoger), of in verregaande mate worden uitgebreid, door inbreng van een welbepaald goed gaande tot een volledige wederkerige en algemene inbreng van alle tegenwoordige of toekomstige goederen, hetgeen neerkomt op het stelsel van de algehele gemeenschap van goederen (zie artikelen 1452-1456 BW).

Afwijkingen van de gelijke verdeling kunnen worden bedongen ten gunste van de langstlevende der echtgenoten, via een beding van vooruitmaking (artikelen 1457-1460 BW), ongelijke verdeling of verblijvingsbeding (artikelen 1461-1464 BW)[41]. In tegenstelling tot een voorafnamebeding, waarbij een echtgenoot een bepaald goed bij voorrang kan kiezen mits aanrekening op zijn aandeel van de helft, vormt de vooruitmaking een daadwerkelijke uitzondering op de gelijke verdeling omdat de echtgenoot die het vooruitgemaakte goed verkrijgt, dit niet moet aanrekenen op zijn aandeel en derhalve daarbovenop ook nog eens de helft van het saldo van de gemeenschap ontvangt.

Het verblijvingsbeding vormt de extreme variant van de ongelijke verdeling, met name dat de langstlevende alles krijgt. Hierbij is het van belang te bepalen in welke mate dergelijk beding civielrechtelijk een huwelijksvoordeel onder bezwarende titel is, dat niet door reservatairen kan worden aangetast[42]. Het fiscale nadeel van het verblijvingsbeding kan in grote mate worden ondervangen door de techniek van het verblijvingsbeding met

---

[40] Zie daarover in mijn bijdrage "Het huwelijkscontract van scheiding van goederen. Pleidooi voor een warme uitsluiting", in KFBN (ed.), *De evolutie in de huwelijkscontracten,* Antwerpen, Kluwer, 1995, 122-125.

[41] Men neemt terecht aan dat een en ander ook kan worden bedongen voor het geval van echtscheiding. Zo kan een echtgenoot een goed inbrengen in de gemeenschap onder het beding van terugneming zonder aanrekening op zijn kavel in geval van echtscheiding, hetgeen neerkomt op een vooruitmaking van het ingebrachte goed.

[42] Zie nader in Hoofdstuk 4.

GEMEENTELIJKE BIBLIOTHEEK
Dorp 28 - 9920 LOVENDEGEM

vordering. Voor Nederbelgen is dit ook een interessant alternatief voor het OBV-testament dat in België botst tegen de reservataire muur[43].

Rond deze basismodellen kunnen tal van varianten worden bedacht. Deze materie is een gedroomd terrein voor creatieve oplossingen en clausules. In de praktijk wordt handig gebruik gemaakt van keuzebedingen die aan de langstlevende (en haar adviseurs) na het overlijden van de partner de mogelijkheid bieden om een round-up te maken van de situatie en een keuze te maken die het best aansluit bij de concrete wensen en omstandigheden.

Huwelijkscontract van scheiding van goederen

Het huwelijkscontract van scheiding van goederen (uitsluiting van elke gemeenschap van goederen) heeft tot gevolg dat er in theorie slechts twee eigen vermogens bestaan, die door elke echtgenoot alleen worden bestuurd (artikel 1466 BW). In het Belgische recht zijn de beperkingen daaraan minimaal, met name de reeds genoemde regels van het primair stelsel. De Belgische zuivere scheiding van goederen behoort tot de meest ijskoude uitsluitingen ter wereld. Dit belet uiteraard niet dat de echtgenoten tijdens de rit samen goederen kunnen verwerven, die zij dan in een gemeenrechtelijke onverdeeldheid (eenvoudige gemeenschap) houden, onder toepassing van het gemene recht van artikel 577-2 e.v. BW.

Correcties op de scheiding van goederen, via toevoeging van bv. een intern gemeenschappelijk vermogen of van een verrekeningsbeding[44], worden door Belgische notarissen de laatste vijf jaar meer en meer toegepast. Toch blijft dit nog altijd zeer (en te) beperkt. Omdat ook de rechtspraak het blijkbaar niet nodig acht om de schrijnende onbillijkheid bij scheiding van goederen in geval van echtscheiding uit de wereld te helpen, heb ik onlangs gepleit voor de afschaffing van de zuivere scheiding van goederen en de invoering van een dwingend participatierecht in de relatie-aanwinsten[45]. In de Belgische notariële praktijk blijkt hiervoor steun te bestaan.

---

[43]   Zie meer uitvoerig in Hoofdstuk 6.

[44]   Zie daarover uitvoerig mijn bijdrage "Het huwelijkscontract van scheiding van goederen. Pleidooi voor een warme uitsluiting", in KFBN (ed.), *De evolutie in de huwelijkscontracten*, Antwerpen, Kluwer, 1995, 81-191; mijn boek *Le contrat de mariage de séparation de biens*, Antwerpen, Kluwer, 1997, en mijn bijdragen "Séparation de biens" en "Séparation de biens avec clause de participation", in Y.H. LELEU en L. RAUCENT (eds.), *Répertoire Notarial, Régimes Matrimoniaux, Tome IV*, Brussel, Larcier, 2002.

[45]   In België: "Naar een billijk relatie-vermogensrecht", *Tijdschrift voor Privaatrecht* 2001, 373-402 en in Nederland: "Weg met de koude uitsluiting", WPNR 2001, nr. 6464.

2.4. VERSTERF-ERFRECHT VAN DE LANGSTLEVENDE ECHTGENOOT

Bij een stelsel van gemeenschap zal, behoudens afwijkende contractuele regeling, de helft van het gemeenschappelijk vermogen, samen met het eigen vermogen van de overledene, diens nalatenschap uitmaken. Bij scheiding van goederen omvat de nalatenschap het eigen vermogen van de overledene, met inbegrip van zijn aandeel in onverdeeldheden.

Wettelijke en reservataire erfgenaam

Ruim twintig jaar geleden, met de wet van 14 mei 1981, nam België definitief afscheid van het absolute bloed-erfrecht. De langstlevende echtgenoot verwerft een belangrijke positie in het erfrecht. Hij of zij is een regelmatige wettelijke erfgenaam, met saisine en gehoudenheid voor het passief[46], en zelfs met een reserve[47]. Uiteraard wordt het predikaat echtgenoot voorbehouden voor zij die noch uit de echt noch van tafel en bed zijn gescheiden, op het tijdstip van het overlijden, (artikel 731 BW). Wanneer de echtgenoten feitelijk gescheiden leefden op het moment van overlijden, is de overlevende echtgenoot in principe erfgenaam. De overledene heeft echter de mogelijkheid om zijn echtgenoot te onterven via testament, waarbij ook de reserve kan worden ontnomen voorzover aan enkele strikte en formele voorwaarden is voldaan[48].

Devolutie-regels

Hetgeen een langstlevende echtgenoot krachtens versterf-erfrecht, bij gebreke van testament, uit de nalatenschap van haar dierbare afgestorvene verkrijgt, is functie van de concurrentie die zij te verduren krijgt. Hierbij moeten drie situaties worden onderscheiden: samenloop met kinderen, samenloop met andere erfgenamen, eenzame alleen-loop (zie artikel 745*bis* § 1 BW).

(1) Komt de weduwe in concurrentie met (niet noodzakelijk gemeenschappelijke) afstammelingen van de overledene, dan zal zij het vruchtgebruik verkrijgen op de ganse nalatenschap. De kinderen zullen bij gelijke delen (eventueel met toepassing van de plaatsvervulling[49]) de blote eigendom verkrijgen. Zie Figuur 11.

---

[46]   Zie over deze begrippen nader in Hoofdstuk 1.
[47]   Dit aspect wordt nader toegelicht in Hoofdstuk 4.
[48]   Daarover in Hoofdstuk 4.
[49]   Zie daarover in Hoofdstuk 1.

Figuur 11

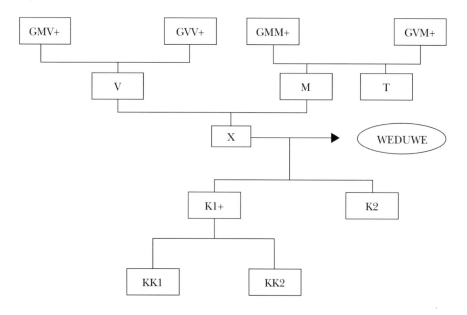

→ X is gehuwd onder het wettelijk stelsel van gemeenschap van aanwinsten bij gebrek aan een huwelijkscontract. X overlijdt en laat naast zijn weduwe ook nog twee kinderen (K1 en K2), waarvan één (K1) reeds is vooroverleden, en twee kleinkinderen (KK1 en KK2) na.

X heeft voor € 125.000 eigen goederen, en € 200.000 gemeenschappelijk vermogen. De nalatenschap bestaat derhalve uit de eigen goederen van X (€ 125.000) enerzijds, en de helft van de gemeenschap, zijnde € 100.000 anderzijds (de andere helft van de gemeenschap komt aan de weduwe toe in volle eigendom krachtens het huwelijksvermogensrecht).

⇒   de verdeling van de nalatenschap van X gaat als volgt:

– de weduwe krijgt het vruchtgebruik op de ganse nalatenschap;
– Kind 2 krijgt de helft in blote eigendom;
– Kleinkinderen 1 en 2 krijgen elk een kwart in blote eigendom, bij wege van plaatsvervulling.

Pro memorie weze opgemerkt dat een regeling inzake het erfrecht van de langstlevende echtgenoot, bij huwelijkscontract of bij wijzigingsakte, conform artikel 1388, lid 2 BW, tot gevolg kan hebben dat het intestaatserfrecht ten aanzien van de ene of de andere echtgenoot wordt uitgeschakeld. Ingevolge deze nieuwe bepaling kunnen de echtgenoten immers, wanneer een van hen één of meer afstammelingen heeft die voortkomen uit een andere relatie van voor hun huwelijk of die geadopteerd werden voor hun huwelijk, of afstammelingen van de geadopteerden, geheel of ten dele, zelfs zonder wederkerigheid, een regeling treffen over de rechten die de ene in de nalatenschap van de andere kan uitoefenen (zie verder de bespreking in Hoofdstuk 4, nr. 4.3.).

(2) Samenloop met andere erfgenamen dan afstammelingen, versterkt de positie van de langstlevende. Zij verkrijgt de volle eigendom van het gemeenschappelijk vermogen[50] en vruchtgebruik op het eigen vermogen. De blote eigendom van het eigen vermogen komt toe aan de bloedverwanten volgens de eerder uiteengezette orde- en graadregels, eventueel gecorrigeerd via plaatsvervulling en kloving[51]. Zie Figuur 12.

Figuur 12

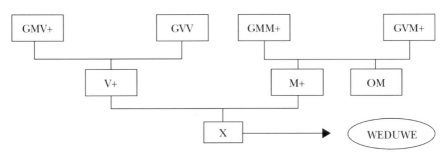

→ X is gehuwd onder het wettelijk stelsel van gemeenschap van aanwinsten, en overlijdt zonder afstammelingen na te laten. X heeft € 125.000 eigen goederen, en € 200.000 gemeenschappelijke goederen. Hij laat een weduwe, een grootvader langs vaderszijde (GVV) en een oom aan moederszijde (OM) na.

⇒ – de gemeenschappelijke goederen ter waarde van € 200.000 komen in volle eigendom aan de weduwe toe (€ 100.000 via huwelijksvermogensrecht, en € 100.000 via het versterf-erfrecht);

– de € 125.000 eigen goederen komen enkel in vruchtgebruik aan de weduwe toe; de blote eigendom van deze eigen goederen komt via kloving (zie hoofdstuk 1) voor de helft toe aan de grootvader langs vaderszijde (GVV), en voor de overige helft aan de oom langs moederszijde (OM).

Bemerk de discriminatie van echtgenoten gehuwd onder scheiding van goederen. De gezinswoning die behoort tot het gemeenschappelijk vermogen zal volledig in volle eigendom toekomen aan de langstlevende. De gezinswoning die echter, in een stelsel van scheiding van goederen, op beider naam in onverdeeldheid is verworven, zal slechts voor de helft in volle eigendom toekomen aan de langstlevende en voor de andere helft in vruchtgebruik, waarop zij de blote eigendom van ouders of een broer of zuster van de overleden echtgenoot zal moeten tolereren.

(3) De derde situatie is de alleen-loop. Als de overledene niemand nalaat behalve zijn echtgenote, dan verkrijgt zij, ab intestato, de volle eigendom van geheel de nalatenschap.

---

50 Buiten de hypothese van contractuele verdelingsbedingen, verkrijgt zij de ene helft van de gemeenschap krachtens huwelijksvermogensrecht en hier dan de andere helft krachtens versterf-erfrecht.

51 Zie Hoofdstuk 1.

De introductie van de langstlevende echtgenoot in het bloed-erfrecht heeft de aanspraken van de bloedverwanten danig vertroebeld. Kinderen worden in hun blootje gezet en moeten wachten op het overlijden van de langstlevende tot zij het genot en de beschikking over de erfgoederen verkrijgen. Andere bloedverwanten worden nog verder teruggedrongen, vermits zij alle aanspraken verliezen ten aanzien van gemeenschapsgoederen die in volle eigendom naar de langstlevende gaan en dus voor eens en altijd uit de klauwen van deze bloedlijn blijven. Voorwaar een belangrijke afwijking van de basisregels van het bloedrecht.

Erfrechtelijk vruchtgebruik

De keuze voor een intestaatserfrecht in vruchtgebruik brengt een aantal praktische problemen met zich mee. Erfgenamen verkiezen uiteraard volle eigendom. Dit kan leiden tot frustraties langs de kant van de langstlevende, die geen bemoeienissen wil vanwege haar kinderen, nog minder vanwege stiefkinderen of broers van haar man. Irritatie doet zich ook voor bij de kinderen, die ongeduldig wachten tot de weduwe haar biezen pakt zodat zij als volle eigenaar van de erfenis kunnen genieten.

Daarom heeft de wet voorzien in een aantal beschermingsmechanismen om de positie van de diverse betrokkenen veilig te stellen. Aldus kan elke blote eigenaar eisen dat voor alle met vruchtgebruik bezwaarde goederen een notariële boedelbeschrijving wordt opgemaakt van de roerende goederen en een staat van de onroerende goederen (artikel 745 *ter* BW). Voorts kan de blote eigenaar eisen dat de geldsommen worden belegd en dat de effecten aan toonder, naar keuze van de langstlevende, worden omgezet in inschrijvingen op naam dan wel worden geblokkeerd op een gemeenschappelijke bankrekening ten name van vruchtgebruiker en blote eigenaars.

Daarenboven maakt de wet het mogelijk om de vruchtgebruik-blote eigendom toestand op te heffen door de omzetting van het vruchtgebruik te vorderen[52]. Op die manier kan het vruchtgebruik worden omgezet in de volle eigendom van erfgoederen, of in een som geld of in een gewaarborgde en geïndexeerde lijfrente (artikel 745 *quater* BW). Het recht om omzetting te eisen is persoonlijk en kan niet worden overgedragen, noch worden uitgeoefend door schuldeisers van de rechthebbende (artikel 745 *quinquies* § 1 BW). Wie wanneer en van welke goederen de omzetting

---

[52]   Dit geldt voor elk vruchtgebruik van de langstlevende, onverschillig of het is verkregen krachtens de wet of bij testament, dan wel ingevolge huwelijkscontract of contractuele erfstelling (artikel 745 *quinquies* § 1 BW). Dit geldt dus niet voor vruchtgebruik verkregen via schenking.

kan eisen, verschilt naargelang het geval. Een en ander wordt vrij precies in de wet geregeld.

Wanneer bv. de blote eigendom toekomt aan afstammelingen, kunnen zowel de langstlevende als een van de blote eigenaars, te allen tijde, de gehele of gedeeltelijke omzetting van het vruchtgebruik eisen. Pittige discriminatie is dat een kind dat tijdens het huwelijk door de overledene in overspel is verwekt, deze omzetting niet kan eisen (artikel 745*quater* § 1 BW).

Wanneer de blote eigendom toebehoort aan anderen dan afstammelingen, dan kan de langstlevende de omzetting eisen binnen een termijn van vijf jaar na het openvallen der nalatenschap (of later indien de rechtbank dit billijk acht). Te allen tijde kan zij de omzetting van vruchtgebruik op de gezinswoning eisen mits betaling van een som geld. De rechtbank kan de vraag tot omzetting en toewijzing van volle eigendom weigeren indien dit de belangen van een onderneming of een beroepsarbeid ernstig zou schaden (artikel 745*quater* § 2 BW). Hoewel een blote eigenaar die geen afstammeling is van de overledene, in principe de omzetting van het vruchtgebruik niet kan eisen, kan de rechtbank dergelijke vordering toch toestaan indien zij dit billijk acht wegens omstandigheden die eigen zijn aan de zaak (artikel 745*quater* § 2 in fine BW).

Een belangrijke beperking is dat in geen geval de omzetting van vruchtgebruik op gezinswoning en daar aanwezig huisraad kan worden doorgevoerd zonder de instemming van de langstlevende echtgenoot (artikel 745*quater* § 4 BW). Omgekeerd kan het omzettingsrecht over gezinswoning en huisraad haar nooit worden ontnomen (artikel 745*quinquies* § 2 in fine BW). Een bijzondere bescherming genieten ook de afstammelingen van de overledene uit een vorig huwelijk. Hen kan het recht om de omzetting van vruchtgebruik te vorderen, en dus niet gedwongen te moeten samenzitten met hun stiefouder, nooit worden ontnomen (artikel 745*quinquies* § 2 BW).

Het vruchtgebruik wordt berekend volgens de waarde op de dag van de omzetting. Bij deze waardering moet onder meer rekening worden gehouden, naar gelang van de omstandigheden, met de waarde en de opbrengst van de goederen, de eraan verbonden schulden en lasten, en de vermoedelijke levensduur van de vruchtgebruiker (artikel 745*sexies* § 3 BBW). Bij de waardering moet tevens rekening worden gehouden met de "instantveroudering" van de langstlevende, zo die in samenloop komt met afstammelingen van de overledene uit een vorig huwelijk. In dat geval wordt de langstlevende immers geacht ten minste twintig jaar ouder te zijn dan de oudste afstammeling uit het vorig huwelijk (artikel 745*quinquies* § 3 BBW).

Zo heb ik in mijn praktijk een prachtige blonde dame van 28 jaar op slag 66 jaar zien worden, daar de oudste zoon van haar man 46 jaar oud was.

Wanneer alle partijen meerderjarig en handelingsbekwaam zijn, kan de omzetting van vruchtgebruik in der minne gebeuren (artikel 745 *sexies* § 1, eerste lid BW). Zijn er minderjarige of onbekwame erfgenamen, dan geldt een bijzondere procedure zoals omschreven in artikel 1206 van het Gerechtelijk Wetboek. Bij gebreke van akkoord zal de rechtbank beslissen, overeenkomstig artikel 745 *sexies* § 2 BW [53]. Gelet op de vage en onzekere richtlijnen voor waardering, hebben partijen er meestal alle belang bij om de omzetting, eventueel bij wijze van dading, in der minne te regelen. In de praktijk wordt vaak als volgt te werk gegaan.

Eerst waarderen partijen het totale vermogen dat door vruchtgebruik is bezwaard, in onderling overleg, op een bepaalde waarde in volle eigendom. Dan kent men aan het vruchtgebruik een percentage toe van deze volle eigendom-waarde. Dit gebeurt volgens een overeen te komen berekenmethode. De minst verregaande is het vrij rudimentaire systeem uit het Wetboek van Successierechten dat geen rekening houdt met geslacht en ruime leeftijdscategorieën hanteert (tien jaar voor de leeftijd van 20 tot 50 en vijf jaar vanaf de leeftijd van 50). Een hogere waarde vruchtgebruik wordt bekomen met de meer gesofisticeerde methodes (waarvan er verschillende bestaan), die beter differentiëren, onder meer naar gelang het geslacht, leeftijd per jaar en actualiseringsvoet.

Nemen we bij wijze van illustratie een nalatenschap met een volle eigendom-waarde van drie miljoen euro. De weduwe is 64 jaar en wenst het vruchtgebruik om te zetten in een kapitaal. De volle eigendomwaarde van haar vruchtgebruik volgens artikel 21 W.Succ. bedraagt leeftijdscoëfficiënt 9,5 maal vier of 38 procent of in waarde 1.140.000 euro. De waarde van vruchtgebruik berekend volgens de methode Ledoux[54] bedraagt voor een vrouw van 64 jaar 49,2 procent of in waarde 1.476.000 euro. Toepassing van de tweede waarderingsmethode levert de vrouw dus een cash-voordeel op van 336.000 euro. Een compromis bestaat erin om het gemiddelde tussen deze twee waarden te nemen zodat het vruchtgebruik van de weduwe wordt gewaardeerd op 43,6%, hetgeen haar een kapitaal oplevert van 1.308.000 euro.

---

[53] Cf. recent Rb. Nijvel 21 maart 2002, *Journal des Tribunaux* 2002, 520, noot D. STERCKX, "La controverse des valeurs de l'usufruit", 521-524.

[54] Zie J.L. Ledoux, "Evaluation de l'usufruit converti. Nouvelles tables commentées", *Revue du Notariat Belge* 1995, 226-235.

HOOFDSTUK 3.
TESTAMENTAIR ERFRECHT

3.1. BESCHIKKINGSVRIJHEID

De eigenaar heeft de meest uitgebreide machten en bevoegdheden over zijn vermogen. Hij heeft het recht om op de meest volstrekte wijze van de zaak het genot te hebben en daarover te beschikken (*ius utendi, fruendi et abutendi*). De absolute beschikkingsvrijheid bestaat evenwel niet. Zo kan de eigenaar geen gebruik maken van zijn eigendom op een wijze die strijdig is met wetten en verordeningen (artikel 544 BW). De pauliaanse vordering en vergelijkbare acties zien erop toe dat handelingen die zijn verricht met de bedoeling de schuldeisers een neus te zetten, niet tegen zulke schuldeiser zullen kunnen worden ingeroepen. De voor onze materie belangrijkste beperking aan de beschikkingsvrijheid volgt uit de erfrechtelijke reserve. Deze vormt een betonnen muur, en wordt in detail besproken in Hoofdstuk 4. Daarnaast zijn er nog een aantal andere (erfrechtelijke) beperkingen aan de contractvrijheid, die hierna kort worden toegelicht.

Verboden erfovereenkomst

Zo is het verboden om over een nalatenschap die nog niet is opengevallen, enig beding te maken, zelfs niet met toestemming van de erflater (artikel 1130 BW). Dit verbod op erfovereenkomsten is van openbare orde en vormt derhalve een belangrijke beperking op de beschikkingsvrijheid van een erflater. Indien dergelijke overeenkomst wordt gesloten, dan is zij nietig. Het moet gaan om een (eventueel ook eenzijdig) beding dat een verbintenis ten aanzien van een toekomstige nalatenschap tot gevolg heeft. Een daadwerkelijke verbintenis is vereist, en dus niet een loutere belofte. De aangegane verbintenissen moeten 'louter eventuele rechten' betreffen. Dit laatste begrip wordt door het Belgische Hof van Cassatie strikter ingevuld dan door het Franse Hof, zodat in België minder snel tot het bestaan van een verboden erfovereenkomst zal worden besloten.

Het betreft een complexe materie, waarover heel wat rechtspraak bestaat waarin telkenmale weer moet worden bepaald of een verbintenis of beding al dan niet als een verboden erfovereenkomst moet worden beschouwd[55]. Zodra het overlijden van een persoon invloed heeft op verbintenissen die

---

[55]   Zie bij M. Puelinckx-Coene, *Erfrecht*, Antwerpen, Kluwer, 1996, 253-278.

volgen uit eender welke overeenkomst, moet een knipperlicht in werking treden en moet nagegaan worden of geen verboden erfovereenkomst voorligt. Als verboden werd bv. beschouwd de testamentaire clausule die de last oplegt aan een legataris om een toekomstige nalatenschap van een derde te verwerpen.

De wet voorziet echter wel in een aantal toegelaten uitzonderingen op het verbod, die limitatief moeten worden uitgelegd. Zo zijn er onder meer de contractuele erfstelling en het befaamde artikel 918 BW. De Wet van 22 april 2003 tot wijziging van sommige bepalingen van het Burgerlijk Wetboek in verband met het erfrecht van de langstlevende echtgenoot (meer in het bijzonder besproken in Hoofdstuk 4, nr. 4.3.) vormt een nieuwe uitzondering. Echtgenoten kunnen immers bij huwelijkscontract of wijzigingsakte, onder bepaalde voorwaarden, een regeling treffen omtrent de erfrechten die de ene in de nalatenschap van de andere kan uitoefenen. Te dien einde worden ook de artikelen 791 BW en 1130, lid 2 BW, die het verbod op erfovereenkomsten formuleren, uitdrukkelijk aangevuld met de woorden: "tenzij in de gevallen bij wet bepaald"[56].

Contractuele erfstelling

De contractuele erfstelling is een overeenkomst waarbij iemand beschikt over het geheel of een deel van zijn toekomstige nalatenschap. Dit is in de strikte zin een verboden erfovereenkomst en daarom slechts uitzonderlijk toegelaten en wettelijk geregeld[57]. Zo kan elkeen bij huwelijkscontract beschikken over het geheel of een gedeelte van zijn nalatenschap, zowel ten voordele van de echtgenoten (in het betrokken huwelijkscontract), als ten voordele van de kinderen die uit dat huwelijk zullen worden geboren, voor het geval de beschikker de begiftigde echtgenoot overleeft (artikel 1082 BW). Dergelijke schenking is onherroepelijk, in die zin dat de schenker niet meer om niet mag beschikken over de in de schenking begrepen goederen, behalve over geringe bedragen (artikel 1083 BW).

Bij huwelijkscontract, maar ook bij afzonderlijke schenkingsakte, kunnen de echtgenoten ten gunste van elkaar schenking doen van toekomstige goederen (zijnde de toekomstige nalatenschap) (artikel 1093 BW)[58]. Dit zou een verboden erfovereenkomst zijn, en is bijgevolg enkel mogelijk

---

[56]   Zie artikelen 2 en 4 van de genoemde Wet.

[57]   Het standaardwerk in deze materie is M. Van Quickenborne, *Contractuele erfstelling*, Brussel, Story-Scientia, 1991, tweede druk.

[58]   Dit is ook mogelijk, als gewone schenking, ten aanzien van tegenwoordige (bestaande) goederen (artikel 1092 BW).

wegens deze uitdrukkelijke wettelijke grondslag. Indien vervat in het huwe-lijkscontract is dergelijke schenking tussen echtgenoten, in tegenstelling tot de gewone schenking tussen echtgenoten (zie artikel 1096 BW), onher-roepelijk. Slechts met instemming van beide echtgenoten, via de procedure van wijziging van huwelijkse voorwaarden, kan een en ander dan worden ongedaan gemaakt. Waar contractuele erfstellingen tussen echtgenoten vroeger vaak voorkwamen in de notariële praktijk, is dit sinds de invoering van het erfrecht van de langstlevende in 1981 – m.i. terecht – verminderd.

Van de contractuele erfstelling moet goed worden onderscheiden de nieuwe mogelijkheid van erfrechtregeling tussen echtgenoten onder de specifieke voorwaarden van artikel 1388, lid 2 BW. Te verwachten valt dat deze nieuwe mogelijkheid wel frequent zal worden gebruikt.

Vervreemding aan afstammeling met voorbehoud van vruchtgebruik

In de Belgische estate planning praktijk neemt artikel 918 BW een promi-nente rol in. Het biedt immers de mogelijkheid om een "deal" te sluiten derwijze dat reservataire (in Nederland legitimaire) claims de lieve vrede bij overlijden niet meer kunnen komen verstoren. Het betreft de vervreem-ding door een ouder van een goed aan een afstammeling (dus niet aan alle en ook niet aan de enige), hetzij met last van lijfrente, hetzij met afstand van kapitaal, hetzij met voorbehoud van vruchtgebruik.

Ten aanzien van dergelijke transactie zet artikel 918 BW een driedubbel vermoeden in stelling, met name (1) dat de beschikking een schenking is; (2) dat het een schenking is over de waarde van het goed in volle eigen-dom en (3) dat de schenking werd gedaan met vrijstelling van inbreng, dit wil zeggen met aanrekening op het beschikbaar deel en met slechts inkorting in waarde bij overschrijding van dit beschikbaar deel[59].

De aandachtige lezer zal nu terecht wenkbrauwen fronsend zijn onbegrip uiten. Immers, hoe kan dit driedubbel vermoeden een reservataire claim afweren? Er wordt toch duidelijk gesteld dat een inkorting in waarde mogelijk is ten belope van de aantasting van de reserve? Dit is correct, ware het niet dat het tweede lid van artikel 918 BW de mogelijkheid biedt om het driedubbele vermoeden uit te schakelen met name ten aanzien van deze reservataire erfgenamen die in de vervreemding hebben toegestemd. Door de toestemming bevestigen deze erfgenamen immers dat de trans-actie geschiedt onder bezwarende titel. Door het wegvallen van het eerste vermoeden (van schenking) sneuvelen dan daaruitvolgend ook de twee

---

[59]   Over reserve en inkorting heb ik het in Hoofdstuk 4.

andere vermoedens. Na nogal wat gebakkelei in de rechtspraak en zelfs een interpretatieve wet in 1960, lijkt op vandaag overeenstemming te bestaan omtrent het feit dat deze gunstregeling ook geldt indien de beschikking daadwerkelijk een schenking is, en er dus eigenlijk geen sprake kan zijn van een vermoeden van schenking.

Het gevolg is dat ouders aan één kind een schenking kunnen doen, onder de genoemde lasten, die echt definitief en onaantastbaar is. De schenking moet niet worden ingebracht en zij valt ook buiten de fictieve hereditaire massa (ter berekening van de reserve) zodat zij ook niet kan worden ingekort. Hoewel de transactie van artikel 918 BW betrekking heeft op tegenwoordige goederen, is hier toch sprake van een uitzondering op de verboden erfovereenkomst omdat de reservatairen hiermee op voorhand afstand kunnen doen van hun recht om ten aanzien van een bepaalde schenking aanrekening op het beschikbaar deel en eventueel inkorting te vorderen.

Ascendentenverdeling

Geen uitzondering op de verboden erfovereenkomst is de ouderlijke boedelverdeling of ascendentenverdeling, die bij akte onder de levenden worden doorgevoerd (artikelen 1075-1080 BW). Immers, het betreft enkel tegenwoordige goederen en de begiftigde verkrijgt actuele rechten. Vergis u niet. Deze ascendentenverdeling is iets geheel anders dan de Nederlandse OBV van artikel 1167, de zo wijd verspreide techniek ter bescherming van de langstlevende die straks met het nieuwe erfrecht als testamentaire making ter ziele gaat maar wel de algemene intestaatsregel wordt met de wettelijke verdeling.

Ouders en ascendenten kunnen (alle of een deel van) hun goederen verdelen en verkavelen tussen hun kinderen en afstammelingen, zowel bij schenking (maar dan enkel de tegenwoordige goederen) als bij testament. De ouders kunnen het vruchtgebruik voorbehouden, ook ten gunste van de langstlevende onder hen. Bij overlijden van de beschikker vererven enkel nog de goederen die niet in de ascendentenverdeling zijn begrepen. Hetgeen via ascendentenverdeling wordt geregeld, is niet aan inbreng onderworpen en evenmin aan de gewone regels van inkorting. Dit ziet er dus uit als een mooi instrument voor een definitieve en sluitende familieschikking.

De realiteit is minder vrolijk. Door diverse praktische moeilijkheden en onzekerheden is het zelfs zo dat de ascendentenverdeling in de praktijk niet zeer populair is. Zo is er de vereiste dat alle kinderen in de verdeling worden betrokken, zodat een latere geboorte of adoptie leidt tot de nietigheid van de deal (artikel 1078 BW). Vereist is tevens dat er wordt verkaveld: de goederen worden geschonken in zoveel kavels als er kinderen zijn. De toekenning van een kavel aan elk kind is dan de verdeling. De klassieke vordering tot vernietiging van verdeling wegens benadeling voor meer dan één vierde (artikel 887 BW) wordt hier expliciet herhaald (artikel 1079 BW). Het risico op benadeling bij een verdeling onder de levenden is vrij groot omdat de waarde der kavels wordt bepaald op het ogenblik van overlijden en niet op het tijdstip der verdeling, met alle gevolgen van waardefluctuaties vandien. In artikel 1079 wordt ten slotte nog een andere, vrij obscure en onduidelijke betwistingsgrond vermeld, met name dat een der deelgenoten ten gevolge van de verdeling en de beschikkingen bij vooruitmaking een groter voordeel zou genieten dan de wet toelaat.

Om al deze redenen laat de ascendentenverdeling onder de levenden een ruime mate van rechtsonzekerheid bestaan, zodat dit bezwaarlijk als een solide mechanisme voor een familieschikking kan worden beschouwd. Soms acht men de techniek te overwegen indien zeer gelijksoortige kavels kunnen worden gevormd, en de ouders al een gezegende leeftijd hebben.

Dubbele akte

Een mogelijke oplossing voor het inkortings- en vernietigingsgevaar van de ascendentenverdeling onder de levenden is de techniek van de dubbele akte. De ouders doen hier een schenking aan de kinderen in onverdeeldheid (eerste akte), waarna de kinderen dan zelf onderling, zonder bemoeienis van pa en ma, een verdeling doorvoeren (tweede akte). Doordat de schenking aan de kinderen in onverdeeldheid is gebeurd, is het risico op inkorting uitgesloten. Ook de vernietigingsactie wegens benadeling is minder waarschijnlijk daar de benadeling moet worden beoordeeld volgens de waarde op datum van de verdeling (en niet bij overlijden zoals bij de ascendentenverdeling).

Nochtans is voorzichtigheid geboden omdat hierin een verdoken ascendentenverdeling zou kunnen worden gezien. De Belgische rechtspraak lijkt minder streng dan bepaalde doctrine zodat de dubbele akte in diverse gevallen geldig is verklaard, ook wanneer de schenking en daaropvolgend de verdeling na elkaar op dezelfde dag worden gepasseerd. Het is van groot belang dat de verdelingsakte zelfstandig is en uitsluitend door de kinderen en volgens hun wil wordt doorgevoerd, zonder dat de ouders nog iets te zeggen hebben en zonder dat zij enige feitelijke of morele dwang uitoefenen. Vaak wordt dit ook in deze zin geakteerd. Bepaalde rechtspraak aanvaardt de dubbele akte zelfs zo de beide transacties in één notariële akte zijn vervat. Dit wordt soms gedaan om kostenbesparende (slechts één notarieel ereloon want slechts één akte) en vooral fiscale redenen. Immers, door de schenking en de verdeling in één akte aan elkaar te linken, en de verdeling als een last van de schenking te formuleren, zouden slechts registratierechten voor de schenking opeisbaar zijn, en geen afzonderlijke registratierechten voor de verdeling. Het risico van een vermomde ascendentenverdeling wordt hiermee evenwel danig vergroot. De meeste rechtszekerheid wordt bekomen met een dubbele akte met tweemaal notarieel ereloon en tweemaal registratierechten (schenking en verdeling). Voorwaar een aangename conclusie voor het Belgische notariaat.

3.2. BEKWAAMHEIDS- EN VORMVEREISTEN VAN TESTAMENT

Het testament is een akte waarbij de erflater, voor na zijn overlijden, beschikt over het geheel of een deel van zijn goederen, die hij kan herroepen (artikel 895 BW). Het is een persoonlijke eenzijdige en herroepbare beschikking. De herroepelijkheid van een testament is essentieel. Dit kan expliciet gebeuren door een later testament (artikel 1035 BW), of bij een eigenhandig testament door vernietiging ervan. Het kan ook impliciet door een later testament dat onverenigbaar is met eerdere beschikkingen (artikel 1036 BW). Het spreekt voor zich dat het aangewezen is om steeds een uitdrukkelijke herroeping te adviseren.

Bekwaamheidsvereisten

De testator moet gezond van geest (artikel 901 BW)[60] en volledig handelingsbekwaam zijn. Een minderjarige van zestien jaar kan bij testament beschikken ten belope van de helft van de goederen waarover hij als meerderjarige zou mogen beschikken (artikel 904 BW)[61].

---

[60] Zie bv. Cass. 7 maart 2002, *Algemeen Juridisch Tijdschrift* 2001-2002, 921, noot; I. MASSIN, "La preuve de l'insanité d'esprit du testateur au moyen de certificats médicaux", (noot onder Cassatie 19 januari 2001), *Revue Trimestrielle du Droit Familial* 2002, 138-150. Langs de kant van de begunstigde bestaan er beletselen om begiftigd te kunnen worden. Zo voorziet artikel 909 BW in een zgn. vermoeden van captatie, bv. in hoofde van artsen die de testator hebben behandeld gedurende de ziekte waaraan hij overleden is, inzake beschikkingen gemaakt in de loop van die ziekte. Het toepassingsgebied van dit artikel wordt met de Wet van 22 april 2003, *Belgisch Staatsblad* 22 mei 2003 (in werking tredend op 1 juni 2003) uitgebreid tot beheerders en personeelsleden van rustoorden, rust- en verzorgingstehuizen, alsmede van om het even welke collectieve woonstructuur ook voor bejaarden. Aan de uitzonderingen worden toegevoegd de beschikkingen ten voordele van de echtgenoot, de wettelijk samenwonende of de persoon met wie de beschikker een feitelijk gezin vormt. Tenslotte wordt het begrip bedienaar van de eredienst uitgebreid tot andere geestelijken en afgevaardigden van de Centrale Vrijzinnige Raad.

[61] C. DE BUSSCHERE, "Testamenten van minderjarigen: artikel 904 BW in rechtsvergelijkend perspectief", in *Liber Amicorum Prof. J.H. Herbots*, Antwerpen, Kluwer, 2002, 81-95.

De gehuwde staat kan ook zijn gevolgen hebben voor de testeervrijheid. Zo er bv. een contractuele erfstelling is, zal de testator niet meer kunnen beschikken over hetgeen hij aan zijn echtgenote heeft vermaakt (zie hoger). Indien gehuwd onder een stelsel van gemeenschap van goederen, zorgt artikel 1424 BW voor een beperking: het legaat door een echtgenoot gemaakt van het geheel of een deel van het gemeenschappelijk vermogen, mag zijn aandeel in de gemeenschap niet te boven gaan.

Vormvereisten

De formele rechtsgeldigheid van een testament is in de praktijk vaak voorwerp van een internationaal privaatrechtelijke analyse en discussie[62]. Naar Belgisch materieel recht zijn er drie vormen van testamenten: eigenhandig, notarieel en internationaal testament (artikel 969 BW). Daarnaast is er een arsenaal aan exotische testamentsvormen met een beperkte geldigheidsduur, omwille van de overmachts- of noodsituatie. Te denken valt aan militairen, mensen die zich op zee bevinden, die vastzitten in vijandelijk gebied of in een plaats badend in de walm van een verschrikkelijke besmettelijke ziekte (zie artikelen 981-1001 BW).

Ongeacht de specifieke vorm, zijn er twee vereisten die algemeen gelden. Vooreerst moet een testament altijd geschreven zijn. Daarenboven kan een testament uitsluitend de wensen van één enkele natuurlijke persoon bevatten. Artikel 968 BW verbiedt gezamenlijke testamenten: "Geen testament kan in eenzelfde akte door twee of meer personen worden gemaakt, hetzij ten voordele van een derde, hetzij als wederkerige en onderlinge beschikking". De term testament in de aanhef van deze bepaling verwijst naar de inhoudelijke beschikking. Deze kan niet door twee personen worden bepaald in eenzelfde vormelijk stuk.

Het is duidelijk dat dit slechts een formele regel is, die het opmaken van een "spiegeltestament" niet uitsluit. Dit laatste is in de praktijk zeer gebruikelijk, met name voor echtgenoten. Zowel voor de man als voor de vrouw wordt een identiek testament, een spiegel-testament dus, opgemaakt. Dit is rechtsgeldig voorzover er, ten eerste, naar de vorm, twee verschillende documenten zijn (overeenkomstig artikel 968 BW) en er, ten tweede, naar de inhoud, geen bepalingen in vervat zijn waaruit zou blijken dat de testamenten zo innig met elkaar verbonden zijn dat zij onderling van elkaar afhankelijk zijn, zodat geen van de testamenten eenzijdig kan worden herroepen. Dergelijke testamenten zijn materieel gezamenlijke testamenten.

---

[62]   Zie in Hoofdstuk 6.

Deze zijn ongeldig omdat zij indruisen tegen het fundamentele principe van eenzijdige herroepelijkheid van een testament (zie hoger).

Eigenhandig testament

Het eigenhandig testament moet geheel met de hand van de erflater zijn geschreven, gedagtekend en ondertekend (artikel 970 BW). De term codicil refereerde aanvankelijk aan het stuk waarmee een bestaand testament werd aangevuld of verduidelijkt. Het codicil heeft in het Belgische recht geen zelfstandige of bijzondere betekenis, vermits dezelfde vormvoorwaarden gelden als voor een eigenhandig testament.

Het schrijfmiddel evenals het materiaal waarop is geschreven (bv. met krijt op de gevangenismuur), is onbelangrijk, maar het moet gaan om het persoonlijk geschrift van de testator. Van een eigenhandig testament kan geen sprake zijn zo het is getypt of uitgeprint, of door iemand anders is geschreven. Het testament moet worden gedateerd om de bekwaamheid van de testator vast te stellen op het moment dat het testament gemaakt wordt, en om vast te stellen welk testament voorrang krijgt wanneer er verschillende testamenten zijn. De handtekening is volgens de klassieke opvatting "het met de hand geschreven teken waardoor de testator gewoonlijk zijn persoonlijkheid aan derden laat kennen". Een vijftiental jaar geleden werd deze vereiste door het Hof van Cassatie[63] versoepeld in die zin dat er een geldige handtekening is indien voldoende is gebleken dat de testator duidelijk de bedoeling had om het document als zijn testament te tekenen, zelfs als het niet zijn gewone handtekening zou zijn, maar een handtekening die alleen is gebruikt voor deze "speciale" gelegenheid.

De testator mag het eigenhandig testament bij zich houden, onder zijn matras of in een kluis thuis of in de bank. Hij kan het ook in bewaring geven bij een notaris. Een eigenhandig testament dat bij een notaris in bewaring wordt gegeven, moet door de notaris worden gemeld tot opname in het Centraal Register der Testamenten (CRT), dat onder het beheer staat van de Koninklijke Federatie van Belgische Notarissen te Brussel. Indien de testator geen prijs stelt op dergelijke registratie, dan dient hij de notaris daarvan uitdrukkelijk te ontslaan.

De voordelen van een eigenhandig testament zijn de discretie en de herroepingsmogelijkheid door materiële vernietiging via handige hulpmiddelen zoals papierversnipperaar of open haard. Dit laatste is meteen ook een

---

[63]   Arrest van 13 juni 1986, *Tijdschrift voor Notarissen* 1986, 282.

nadeel, vermits deze vernietiging ook gemakkelijk kan worden gedaan door een snode erfgenaam. Er is ook het risico op vervalsing of gewoon verlies van het stuk. Een en ander wordt uiteraard ondervangen door inbewaring-geving bij een notaris, met melding op het CRT. Een bijzonder groot nadeel is de mogelijkheid van betwisting achteraf, na het overlijden. Erfgenamen kunnen verklaren dat zij het geschrift of de handtekening van de testator niet kennen, waarna een gerechtelijk onderzoek naar de echt-heid wordt bevolen (artikel 1323-1324 BW)[64].

Ook inhoudelijk kunnen aan de kant gezette erfgenamen of tot de reserve beperkte (in de legitieme gestelde) kinderen amok maken, bv. door te stellen dat papa niet meer goed bij zijn hoofd was en dus niet bekwaam om het testament te maken. Nog een nadeel zijn de formaliteiten van neerleg-ging en aanbieding van het testament na overlijden van de testator (aan-bieding aan een notaris, notarieel proces-verbaal van opening en rang-schikking onder de minuten, neerlegging van een afschrift ter griffie van de rechtbank waar de nalatenschap is opengevallen) (artikel 976 BW). Ook voor de inbezitstelling van een algemene legataris ligt de zaak wat verve-lender bij een eigenhandig testament (zie daarover in 3.3.).

Om al deze redenen zal men in principe zelden een eigenhandig testament adviseren. Wel wordt in de praktijk soms nuttig gebruik gemaakt van het eigenhandig testament in een voorlopige overgangsfase. Cliënten vertrek-ken bv. voor twee maanden op vakantie en willen absoluut nog een en ander geregeld hebben twee dagen voordien. Het kan dan voor hun ge-moedsrust enorm deugd doen om een eigenhandig testament op te maken dat dan bij een notaris in bewaring wordt gegeven. Na de welverdiende cruise kan vervolgens een en ander nog nader worden bekeken en vorm gegeven in een meer definitief stuk, dat dan uiteraard een notarieel of internationaal testament zal zijn.

Notarieel testament

Het testament dat is opgemaakt bij openbare akte wordt verleden (= ge-passeerd) voor een notaris in aanwezigheid van twee getuigen, of voor twee notarissen. Naast een aantal klassieke vereisten waaraan elke notariële akte moet voldoen, moeten ook enige bijzondere formaliteiten worden nage-leefd zoals vermeld in de artikelen 971-973 BW.

Het notariële testament is het meest formalistische van de drie testaments-vormen. De testator moet mondeling de inhoud van zijn testament dicteren

---

[64] Zie hieromtrent Hof van Cassatie 19 januari 2001, *Rechtskundig Weekblad* 2000-2001, 1277.

aan de notaris, dewelke dit dictee hoogstpersoonlijk moet opschrijven. Hoogstpersoonlijk betekent dat de notaris het zelf moet doen, en niet zijn klerk. Hoewel betwist, wordt er voorzichtigheidshalve ook van uitgegaan dat hij dit eigenhandig moet schrijven en niet mag typen. Men aanvaardt dat aan de dictee-vereiste is voldaan als de notaris het testament schrijft aan de hand van notities van voorbereidende gesprekken, opmerkingen van de testator en vraag en antwoord met hem. Tevens wordt aangenomen dat de notaris niet woordelijk opschrijft wat wordt voorgelezen, maar dat hij een en ander kan omzetten in juridische bewoordingen mits hij niets verdraait noch toevoegt. Daarna moet de notaris hetgeen hij heeft opgeschreven, voorlezen aan de testator, zodat deze zich ervan kan vergewissen dat de notaris heeft opgeschreven zoals gedicteerd. Van het feit dat al deze formaliteiten zijn nageleefd, moet ook uitdrukkelijk melding worden gemaakt in de akte. Uiteraard moet de testator het testament ook ondertekenen (of moet zijn verklaring worden opgenomen dat hij niet kan tekenen of daartoe niet in staat is).

Indien er slechts één notaris optreedt, moet het gehele circus worden doorgevoerd in aanwezigheid van twee getuigen. Deze moeten effectief aanwezig zijn van begin tot einde. Volgens het Hof van Cassatie is het niet relevant of de getuigen werkelijk kijken wat er gebeurt, zolang zij maar op een plaats zitten waar zij kunnen kijken. Toch lijkt het aangewezen de getuigen niet toe te laten te slapen of Libelle te lezen. Getuigen moeten achttien jaar zijn en kunnen ondertekenen. Tevens zijn er een aantal beletselen om als getuige op te treden (bv. de echtgenote van de notaris)[65]. Hoewel niet in de wet terug te vinden, wordt aangenomen dat de getuigen feitelijk bekwaam moeten zijn om als getuige te kunnen optreden. Nochtans lijkt dit volgens de rechtspraak niet in te houden dat de getuige de taal moet begrijpen waarin de testator het testament dicteert.

Het spreekt voor zich dat het notariële testament verplicht moet worden opgenomen in het CRT te Brussel. Het voordeel van het notariële testament is duidelijk de zekerheid die ervan uitgaat. Door de notariële controle zal bv. een betwisting wegens ongezondheid van geest al wat moeilijker vallen. Daarenboven zijn een aantal elementen[66] gedekt door de authenticiteit zodat daar enkel kan worden tegen ingegaan door een procedure tot inschrijving wegens valsheid in geschrifte. Ook na het overlijden verloopt een en ander soepeler dan bij andere testamentsvormen (regi-

---

[65] Zie artikel 10 Wet op het Notarisambt.
[66] Het betreft de aanwezigheid van de getuigen, het dictee, het neerschrijven van het testament, de voorlezing, de ondertekening door de testator en de getuigen en de eventuele verklaring van niet-ondertekening.

stratie van het testament – artikel 976 BW is niet van toepassing) en de inbezitstelling van een algemene legataris (zie 3.3.). Toch ben ik niet enthousiast over het notarieel testament en maak ik er in de praktijk nooit gebruik van. De vele zeer strikte vormvoorschriften maken er een m.i. al te archaïsche en onpraktische bedoening van. Niet-naleving der formaliteiten, zelfs beperkt, leidt tot nietigheid[67]. Ik verkies dan ook het internationaal testament.

Internationaal testament

Het internationaal testament maakt zijn entree in het Belgische recht met de Wet van 2 februari 1983 (hierna de Wet 1983), in uitvoering van het Verdrag van Washington van 26 oktober 1973 nopens de vorm van een internationaal testament. Deze testamentsvorm is veel soepeler dan het notarieel testament. Er zijn twee fases: het testament zelf en de verklaring van de notaris.

Het testament zelf mag door de testator worden geschreven of door iemand anders, en mag handgeschreven of getypt zijn in om het even welke taal (artikel 3 Wet 1983). Het moet niet getekend of gedateerd zijn. In tegenwoordigheid van twee getuigen en van de notaris (en dus niet van twee notarissen), moet de testator dan verklaren dat het betrokken stuk zijn testament is en dat hij de inhoud ervan kent (zonder dat hij deze inhoud moet kenbaar maken) (artikel 4 Wet 1983). Onderaan het testament moet de testator tekenen. Indien hij eerder heeft getekend, moet hij in het bijzijn der getuigen en notaris zijn handtekening erkennen en bevestigen (artikel 5 Wet 1983). Ook de notaris en de getuigen moeten ondertekenen aan het einde van het testament, in tegenwoordigheid van de erflater (artikel 6 Wet 1983). Aan het einde van het testament wordt de datum aangebracht door de notaris. Dit is de datum van aanbieding aan de notaris, ongeacht de datum waarop het testament is opgemaakt of door de testator is ondertekend (artikelen 7-8 Wet 1983).

In een tweede fase wordt aan het testament een verklaring gehecht, door de notaris ondertekend, waaruit blijkt dat is voldaan aan voornoemde formaliteiten (artikel 9 Wet 1983). Deze verklaring moet worden opgemaakt in de vorm zoals voorgeschreven door het Verdrag van Washington (zie artikel 10 van de Wet). De notaris houdt een exemplaar van de verkla-

---

[67] Zie bv. Antwerpen 29 januari 2001, *Rechtskundig Weekblad* 2002-2003, 299, noot, in welk geval besloten wordt tot de nietigheid van het notarieel testament, maar geldigheid als internationaal testament.

ring en overhandigt een ander exemplaar aan de erflater (artikel 11 Wet 1983). Daarna bergt de notaris het testament in een omslag die wordt verzegeld, in tegenwoordigheid van de erflater en de twee getuigen. Samen met een exemplaar van de verklaring bewaart hij deze omslag bij zijn minuten (artikel 17 Wet 1983). Ook het internationaal testament moet verplicht worden gemeld aan het CRT.

Het internationale testament is een praktische testamentsvorm. De vervelende vereiste van de handgeschreven vorm wordt vermeden. Dit is een belangrijk pluspunt tegenover het notarieel testament. Voor de testator zijn er minder formaliteiten. Het stuk kan door een raadgever worden opgesteld, doorgemaild en uitgeprint. Dat is zeer handig, zelfs al is het testament niet extreem lang of complex. De testator moet alleen maar bevestigen dat dat zijn wil is en een handtekening zetten. Een ander niet te verwaarlozen voordeel van het internationale testament is de discretie. Waar de getuigen bij het notariële testament geheel de inhoud van het stuk kunnen en moeten aanhoren, is dit hier niet het geval. Gelet op het feit dat getuigen vaak volksmensen uit de gemeente of regio zijn, kan deze confidentialiteitsmaatregel wel tellen.

Voor de notaris is er wat poespas met het opstellen van de verklaring in diverse exemplaren, maar ook dat valt wel mee. De houding van sommige Belgische notarissen, die simpelweg weigeren om een internationaal testament te passeren, is onaanvaardbaar. De notaris die aldus handelt, begaat een deontologische fout.

De vrees van sommigen of de minimale vormvereisten van het internationale testament wel nog de werkelijke wil van de testator kunnen waarborgen, deel ik niet. Er komt toch nog altijd een notaris aan te pas die de hele zaak een halt kan toeroepen zo er indicaties zouden zijn dat de testator niet weet wat hij doet.

Nog een ander voordeel ten aanzien van het notarieel testament is de internationale vorm. Wanneer het testament in het buitenland moet worden voorgelegd of uitgevoerd, zal dit vlotter verlopen in de landen waar het Verdrag van Washington is geratificeerd[68]. Een nadeel ten aanzien van het notarieel testament is de toepassing van het reeds genoemde artikel 976 BW bij overlijden. Ook inzake inbezitstelling van een legataris is de positie minder sterk dan bij een notarieel testament.

---

[68]   Per 1 september 1996 was dit, naast België: Bosnië-Herzegovina, Canada, Cyprus, Ecuador, Frankrijk, Italië, Joegoslavië, Libië, Niger, Portugal, Slovenië.

3.3. INHOUD VAN TESTAMENT

Niet-vermogensrechtelijke beschikkingen

Hoewel een testament in eerste instantie zal beogen om vermogensrechtelijke beschikkingen voor na het overlijden te treffen, is het mogelijk
om ook tal van niet-vermogensrechtelijke aspecten te regelen in het testament. Het is per slot van rekening een uiterste wilsbeschikking, een zeer
individueel en persoonlijk document. Zo kunnen wensen over de lijkbe-
zorging (begraven of cremeren?) of over de uitvaartplechtigheid (route-
beschrijving voor het cortège, muzikale wensen, richtlijnen voor de lijk-
rede) worden opgenomen in een testament. Tevens kan een beschikking
worden opgenomen over de wegneming van organen en weefsels bestemd
voor transplantatie.

Een voor vele ouders en hun gemoedsrust belangrijke regeling betreft de
voogdij over minderjarige kinderen voor het geval beide ouders voortijdig
zouden overlijden. De vroegere mogelijkheid voor de langstlevende echtgenoot om op een bindende wijze bij testament een voogd aan te duiden,
is met de Wet inzake ouderlijk gezag en voogdij, in werking getreden op
1 augustus 2001, behouden, hoewel nu aan de vrederechter (= kantonrechter) een marginaal toetsingsrecht is gegeven. Volgens artikel 392 laatste
lid BW moet de vrederechter immers de aanwijzing van de testamentaire
voogd homologeren (= bekrachtigen), tenzij er ernstige redenen met
betrekking tot het belang van het kind zijn, om dit niet te doen. Bij wei-
gering moet de vrederechter deze redenen nauwkeurig omschrijven in de
gronden van zijn beschikking.

De mogelijkheid van splitsing van de voogdij over persoon en goederen
van het kind, voorheen reeds door sommigen (waaronder ondergetekende)
frequent toegepast, krijgt nu een wettelijke basis in artikel 395 BW. Wel
is het spijtig dat de wettekst nogal beperkend is geformuleerd, met name
dat de splitsing kan worden doorgevoerd door de vrederechter "indien het
belang van de minderjarige zulks wegens uitzonderlijke omstandigheden
vereist". Het valt evenwel te verwachten dat de vrederechters dit ruim en
soepel zullen interpreteren.

Vermogensrechtelijke beschikkingen

De meest voor de hand liggende vermogensrechtelijke bepalingen zijn
uiteraard de legaten. Die komen hierna aan bod. Er zijn evenwel ook
andere patrimoniale beschikkingen denkbaar.

Zo bv. regels omtrent de vereffening en verdeling van de nalatenschap tussen de erfgenamen. Te denken valt ook aan een alternatieve beschikking of *cautio socini*. Hierin wordt dan bepaald dat elke erfgenaam binnen een bepaalde termijn en op een welbepaalde wijze een schriftelijke verklaring moet afleggen van berusting in en medewerking aan de uitvoering van het testament. Wie dit niet of niet tijdig doet, wordt dan getracteerd op een alternatieve beschikking. Voor hem of haar valt dan al hetgeen voorafgaandelijk werd geregeld, weg en komt het alternatief in de plaats, met name dat de betrokkene zijn reserve of legitieme krijgt. Het vrijgekomen gedeelte wordt dan vermaakt aan de echtgenoot of aan de andere erfgenamen die wel hebben berust, of desnoods zelfs aan een goed doel.

Zeer vaak voorkomend zijn ook bepalingen in verband met het vruchtgebruik van de langstlevende echtgenoot. Zo wordt bepaald dat er geen boedelbeschrijving of zekerheidstelling nodig is, hoe het vruchtgebruik moet worden gewaardeerd, dat omzetting van het vruchtgebruik (in volle eigendom van met vruchtgebruik belaste goederen, in een som geld of in een gewaarborgde en geïndexeerde rente), niet kan zonder toestemming van de echtgenote[69]. Een bijzonder geval is de oprichting van een instelling van openbaar nut of stichting bij testament[70]. Een ander voorbeeld is de clausule die bepaalt dat de successierechten ten laste komen van de erfboedel[71].

In het testament kunnen diverse lasten worden opgenomen. Zo kan men bepalen dat hetgeen een erfgenaam verkrijgt, onder bewind staat of bezwaard is met een fideicommissum de residuo. In de mate dat deze lasten drukken op de reserve, kan de betrokken erfgenaam vorderen dat deze bezwaringen zonder uitwerking zouden blijven. Inzake het bewind moet worden opgemerkt dat het Belgisch BW geen algemene regeling van bewind kent, zodat men in het testament zelf een degelijke regeling moet

---

[69]   Zie echter artikel 745 *quinquies* § 2 BW dat kinderen uit een vorig huwelijk van de overledene beschermt in die zin dat aan hen het recht om de omzetting van het vruchtgebruik te vorderen, niet kan worden ontnomen.

[70]   Zie hierover de Wet van 2 mei 2002 betreffende de verenigingen zonder winstoogmerk, de internationale verenigingen zonder winstoogmerk en de stichtingen, *Belgisch Staatsblad* 11 december 2002. De datum van inwerkingtreding van deze wet zal door de Koning voor elk artikel van de wet worden bepaald. Dit blijkt uit artikel 32 van de Kruispuntbankwet van 16 januari 2003, *Belgisch Staatsblad* 5 februari 2003, dat artikel 66 van de wet van 2 mei 2002 wijzigt. Over de nieuwe vzw en stichtingenwet, zie o.m. D. DESCHRIJVER, "Enkele fiscaalrechtelijke aspecten van de wet van 2 mei 2002 op de verenigingen en stichtingen", *Rechtskundig Weekblad* 2002-2003, 1010-1015; D. VAN GERVEN, *Handboek Verenigingen*, Kalmthout, Biblo, 2002; D. VAN GERVEN, "De Wet op Verenigingen en Stichtingen. Bespreking van de wijzigingen aangebracht door de wet van 2 mei 2002", *Rechtskundig Weekblad* 2002-2003, 961-980.

[71]   Successierechten zijn immers een persoonlijke schuld van de erfgenaam of legataris.

uitwerken zonder dat naar een wettelijk kader kan worden verwezen. Tevens is het van belang voor ogen te houden dat het Belgische recht evenmin een minderjarigen-bewind kent en dat voor minderjarigen de regels van ouderlijk gezag en voogdij van openbare orde zijn. Niets belet de erflater evenwel om in zijn testament ook te dien aanzien wensen op te nemen, die dan evenwel niet noodzakelijk dwingend zijn. "Baat het niet, het schaadt niet", moet hier het adagium zijn, zeker rekening houdend met de omstandigheid dat een door de overledene uitgedrukte wens of bekommernis steeds ernstig zal worden genomen en door niemand op lichtzinnige wijze aan de kant kan worden gezet.

Een last die niet wordt geacht op de reserve te drukken, is de uitsluitingsclausule. Deze bepaling is in België evenwel niet ingeburgerd, omdat het wettelijk stelsel een gemeenschap van aanwinsten is, zodat schenkingen of erfenissen niet in de gemeenschap vallen tenzij dit contractueel anders werd geregeld (zie Hoofdstuk 2). Het kan nochtans geen kwaad om ook in België een uitsluitingsclausule (eventueel verzacht met het oog op de estate planning van de betrokken erfgenaam) op te nemen in een testament. Persoonlijk neem ik dergelijke clausule (met eventuele correctie) bijna altijd op in een testament.

Legaten

Legaten zijn vermogensrechtelijke beschikkingen die beogen om het gehele vermogen van de erflater of een deel daarvan te vermaken aan een welbepaalde (natuurlijke of rechts-)persoon. De vermaking van het gehele vermogen kan botsen op de muur van de erfrechtelijke reserve (zie Hoofdstuk 4). Indien slechts een deel van het vermogen wordt vermaakt, dan zal het overige gedeelte vererven volgens de regels van het versterf-erfrecht.

Zoals bij erfgenamen gelden ook ten aanzien van legatarissen bestaansvereisten (artikel 1039 jo 906 BW) en onwaardigheidsregels (artikel 1046-1047 BW). Tevens zijn er een aantal bijzondere bekwaamheidsregels. Rechtspersonen die onder administratief toezicht staan, zoals instellingen van openbaar nut maar ook verenigingen zonder winstgevend doel (vzw), kunnen een legaat slechts definitief aanvaarden voorzover daartoe machtiging wordt verleend door de Minister van Justitie (artikel 910 BW).

Een ander voorbeeld is het onweerlegbaar vermoeden van captatie of beïnvloeding op grond waarvan de voluptueuze brunette, die de overledene als arts behandelde gedurende de ziekte waaraan hij overleed, geen legaat kan ontvangen (zie nader in artikelen 907 en 909 BW, met ook bepaalde uitzonderingen op de regel). Daarnaast aanvaardt de rechtspraak ook een feitelijk vermoeden van captatie in hoofde van anderen die niet in de wet vermeld staan, zoals bv. de directeur van het bejaardentehuis waar de testator verbleef. Ook de notaris die het testament opmaakte en zijn familie, evenals de getuigen, kunnen niet bij legaat worden begiftigd (artikelen 8 en 10 Wet op het Notarisambt).

Legaten zijn algemeen, onder algemene titel of onder bijzondere titel. Het belang van dit onderscheid is veelvoudig en heeft onder meer betrekking op de aanwas tussen de legatarissen, de wijze waarop het bezit van de gelegateerde goederen wordt verkregen, de verkrijging van de vruchten en interesten van de gelegateerde goederen, de gehoudenheid tot de schulden van de nalatenschap.

Algemeen legaat

Een algemeen legaat is de wilsbeschikking waarbij de erflater aan één of meer personen de algemeenheid van zijn goederen geeft die hij bij overlijden zal nalaten (artikel 1003 BW). De algemene legataris heeft een roeping tot het geheel van de nalatenschap (zowel actief als passief) en treedt aldus eigenlijk op als erfgenaam voor de totaliteit, daarbij alle versterf-erfgenamen uitsluitend, behalve uiteraard de reservatairen (voorzover deze hun reserve opeisen). Het legaat van de blote eigendom van geheel de nalatenschap en het legaat van vruchtgebruik op het geheel zijn beide algemene legaten wegens de roeping tot alle goederen van de nalatenschap. Wanneer meerdere personen worden aangesteld tot algemeen legataris, is ook hier het determinerende criterium dat elk van hen een roeping moet hebben voor het geheel. Het moet aldus vaststaan dat indien A niet tot de nalatenschap zou komen, om welke reden ook, B dan het geheel zou verkrijgen. Dit spoort gelijk met de algemene aanwas-regel voor testamentaire makingen (artikel 1044 BW). Plaatsvervulling zal enkel optreden indien daarin uitdrukkelijk door de testator is voorzien.

De roeping voor het geheel impliceert niet dat de algemene legataris alles krijgt. Naast inkorting door reservatairen is het uiteraard mogelijk dat ook nog legaten onder algemene titel en bijzondere legaten moeten worden uitgekeerd. Dit alles wordt in mindering gebracht op de verkrijging van de algemene legataris (artikel 1009 BW). Zo is het mogelijk dat de algemene legataris vrijwel niets ontvangt. Zelfs als de algemene legataris bezwaard wordt met de last om alles aan derden uit te keren, blijft hij een algemene legataris. Dit kan voor de erflater, die bv. alle versterf-erfgenamen onterfde, belangrijk zijn, omdat aldus de legaten door een vertrouwenspersoon zullen worden uitgekeerd.

De algemene legataris heeft immers het bezitsrecht over de nalatenschap. Dit komt hem van rechtswege toe indien er geen reservataire erfgenamen zijn (artikel 1006 BW). Indien hij in dit laatste geval is aangesteld bij notarieel testament, is er geen verdere formaliteit vereist. Bij aanstelling in een eigenhandig of internationaal testament zal nog een beschikking van inbezitstelling vanwege de voorzitter van de rechtbank van eerste aanleg vereist zijn (artikel 1008 BW)[72]. Indien er reservataire erfgenamen zijn, dan verkrijgen zij van rechtswege het bezit over de nalatenschap, zodat de algemene legataris in dat geval aan deze erfgenamen de afgifte van de goederen van de nalatenschap zal moeten vragen (artikel 1004-1005 BW).

Legaat onder algemene titel

Met een legaat onder algemene titel vermaakt de testator een gedeelte van zijn goederen, zoals de helft of een derde, of al zijn onroerende goederen of al zijn roerende goederen, of een bepaald gedeelte van al zijn onroerende of roerende goederen. Elk ander legaat is een beschikking onder bijzondere titel (artikel 1010 BW). De kwalificatie als legaat onder algemene titel moet bijgevolg restrictief worden uitgelegd. Verwarring en interpretatiemoeilijkheden zijn (blijkens de rechtspraak terzake) legio, zodat een nauwkeurige redactie van het testament hier absoluut noodzakelijk is.

Zoals een algemene legataris is ook de legataris onder algemene titel ten belope van zijn deel gehouden tot de schulden der nalatenschap (artikel 1012 BW). De afgifte der goederen moet de legataris vragen aan de reservataire erfgenamen en zo deze er niet zijn aan de algemene legataris, en zo deze er evenmin is aan de versterf-erfgenamen (artikel 1011 BW).

Bijzonder legaat

Het bijzonder legaat is de restcategorie: al hetgeen niet beantwoordt aan de criteria van algemeen legaat en legaat onder algemene titel. Positief geformuleerd is er in elk geval sprake van een bijzonder legaat indien het een geïndividualiseerd en welbepaald goed betreft. Bijzondere legatarissen zijn niet gehouden tot de schulden der nalatenschap[73]. Uiteraard zullen zij slechts recht hebben op hun legaat in de mate dat de nalatenschap netto een positief saldo vertoont (Nemo liberalis nisi liberatus) (artikel 1024 BW).

---

[72] Zie bv. Kortgeding Rb. Brussel 24 januari 2002, *Journal des Tribunaux* 2002, 716.
[73] Hiertoe behoren niet de successierechten die zoals gezegd een persoonlijke schuld zijn van de erfgenaam of de legataris.

De bijzondere legataris heeft recht op de zaak vanaf de dag van overlijden (artikel 1014 BW). Het bezit verkrijgt hij slechts door de vrijwillige afgifte dan wel door het vorderen van afgifte van zijn legaat zoals hoger vermeld in artikel 1011 BW. De interesten en vruchten van de vermaakte zaak komen aan de bijzondere legataris toe vanaf de dag van overlijden indien dit uitdrukkelijk zo is bepaald door de testator of wanneer een lijfrente of een pensioen is vermaakt tot levensonderhoud (artikel 1015 BW).

Testamentuitvoerder

In het testament kunnen één of meerdere uitvoerders van de uiterste wilsbeschikking worden aangesteld (artikel 1025 BW). De omvang van de bevoegdheden van een testamentuitvoerder is functie van het al dan niet verkrijgen van het bezitsrecht, hetgeen moet blijken uit een uitdrukkelijke of eventueel impliciete maar vaststaande wilsuiting van de testator (artikel 1026 BW). Bij gebreke aan bezitsrecht beperkt de taak van de testament-uitvoerder zich tot het waken over de correcte naleving van het testament.

Het bezitsrecht is driedubbel beperkt: (1) in de tijd, met name één jaar en een dag na het overlijden; (2) qua goederen, met name enkel de roerende goederen (of een gedeelte daarvan) en (3) qua juridische aard, met name louter feitelijk en precair. Dit laatste betekent dat het bezitsrecht van reservataire erfgenamen of van een algemene legataris die opkomt zonder reservatairen voorgaat.

Uit het voorgaande blijkt dat het praktische nut van een testament-uitvoerder in het Belgische recht eerder bescheiden is. Toch raad ik de aan-stelling ervan altijd aan. Er is opnieuw de "baat het niet, schaadt het niet" gedachte. De testamentuitvoerder kan als vertrouwenspersoon van de over-ledene bij tal van aangelegenheden tussenkomen en daarbij minstens enige morele druk uitoefenen. Een mooi voorbeeld daarvan is de mogelijkheid voor de testamentuitvoerder om een voorlopige bewindvoerder te vorderen ten aanzien van een erfgenaam die niet in staat is zelf zijn goederen te beheren. De rechtspraak aanvaardt immers dat een testamentuitvoerder een belanghebbende is in de zin van artikel 488*bis* b § 1 BW, die een verzoek tot aanstelling van een voorlopig bewindvoerder kan indienen bij de vrederechter. Het is duidelijk dat de testamentuitvoerder – als vertrou-wenspersoon die moet waken over de goede uitvoering van het testament – op die manier kan bewerkstelligen dat goederen van de nalatenschap niet verloren gaan ingevolge de onmogelijkheid van de betrokken erfgenaam om zijn goederen te beheren. Bovendien kan de testamentuitvoerder zelf, onder omstandigheden, worden aangesteld tot voorlopige bewindvoerder over deze erfgenaam.

HOOFDSTUK 4.
RESERVATAIR ERFRECHT

4.1. ALGEMENE SITUERING

Belangenafweging

De beschikkingsvrijheid van een eigenaar over zijn vermogen wordt op diverse wijzen beperkt. Naast correctiemechanismen ten behoeve van schuldeisers, vormt de erfrechtelijke reserve (in Nederland legitieme portie[74]) de belangrijkste beperking[75]. Beschikken om niet over het vermogen of bestanddelen daarvan, bij wijze van schenking of testament, wordt aan banden gelegd ten behoeve van dierbaren waarvan de wetgever meent dat deze een beschermd of voorbehouden (gereserveerd) recht op een deel van het vermogen moeten hebben. Alle handelingen om niet worden getoetst ten aanzien van het totale vermogen en zodra bepaalde grenzen worden overschreden (het zgn. beschikbaar deel), is een correctie mogelijk op grond van de reservebescherming (vordering tot inkorting). De reserve garandeert immers voor bepaalde dichte familieleden dat zij na het overlijden een deel van het vermogen zullen ontvangen.

De reserve biedt een mooie illustratie van de moeilijke en delicate belangenafweging die rechtsregels tot stand moeten brengen. Het belang van familieleden om een deel van het vermogen te krijgen, en hun gelijke behandeling, staat tegenover het belang van een persoon om vrij en naar goeddunken te kunnen beschikken over zijn vermogen, ook kosteloos. Dit conflict komt duidelijk tot uiting in de parlementaire discussies en debatten op het einde van de achttiende eeuw, voorafgaand aan de invoering van de Code Napoléon in 1804. Hier leest men hoe de revolutionaire wetgever een afweging poogde te maken tussen de *égalité* (van de kinderen) en de *liberté* (van vermogensbeschikking). De vaak emotionele en verbeten reacties van de voorstanders van de erfrechtelijke reserve tonen aan dat het om een bij uitstek politieke keuze gaat, omtrent de waarden die men wil laten doorwegen.

Een blind kanon

De reserve geeft recht op een forfaitair vastgesteld deel van het vermogen van de overledene, dat de reservataire erfgenaam na het overlijden vrij en

---

[74] Reserve en legitieme portie kunnen rechtsvergelijkend in principe als synoniemen worden gebruikt. Dit is evenwel niet het geval voor het Spaanse recht, waar een onderscheid bestaat tussen *legitima* en *reserva*.

[75] Zie ook in Hoofdstuk 3.

onbezwaard kan opeisen, in natura in erfgoederen of minstens de waarde daarvan, ook al heeft de erflater totaal anders beschikt. De reserve is een dwingende wettelijke regel die aldus de beschikkingsvrijheid van een persoon op verregaande wijze beperkt. Het is onmogelijk om onbeperkt kosteloos te beschikken over zijn vermogen. Dit kan niet bij leven (via schenking), en evenmin na overlijden (via testament). De reserve is een wilsrecht[76]: slechts als men er aanspraak op maakt (door de vordering tot inkorting), krijgt het recht op de reserve daadwerkelijk uitwerking. Daarom is de reserve niet van openbare orde: na het overlijden van de erflater kan een reservataire erfgenaam berusten in de schending van zijn reserve.

Het traditionele erfrecht is bloedrecht. Het is dan ook niet verwonderlijk dat de klassieke reserve toekomt aan bloedverwanten, vanuit overwegingen van moraal en fatsoen en gelijke behandeling voornamelijk tussen de kinderen. De reservataire erfgenaam dient geen verantwoording te geven voor dergelijke aanspraak. Het loutere feit dat hij reservatair is, volstaat. Precies hierom is de erfrechtelijke reserve een verwerpelijk mechanisme. Een inbreuk op beschikkingsvrijheid is m.i. immers enkel aanvaardbaar indien dit wordt gebaseerd op een verantwoorde grondslag zoals een bijdrage geleverd tot het vermogen of zoals een vorm van behoeftigheid, en voorzover het proportionaliteitsbeginsel wordt gerespecteerd: niet meer inbreuk op de beschikkingsvrijheid dan nodig voor de realisatie van het doel. De reserve is een blind negentiende-eeuws projectiel dat een vermogensclaim geeft aan elk der kinderen, los van enige geleverde bijdrage tot de vermogensopbouw en los van enige concrete behoefte. Aldus krijgen kinderen die niet nodig hebben te veel en krijgen kinderen die nodig hebben te weinig.

De emancipatie van de vrouw en de daaruit volgende accentverschuiving in het erfrecht naar verzorging van de partner, brengt met zich mee dat in bepaalde jurisdicties ook een reservatair erfdeel wordt toegekend aan de langstlevende echtgenoot. Dit is beter verteerbaar omdat hier in beginsel een bijdrage tot vermogensopbouw zal zijn geleverd. Doch ook in dit geval moet de reserve worden afgekeurd en zouden de "legitieme" rechten van een langstlevende echtgenoot beter worden voldaan via huwelijksvermogensrechtelijke aanspraken[77].

---

[76] Vergelijk W. SNIJDERS, "Wilsrechten, in het algemeen en in het nieuwe erfrecht", *WPNR* 1999, nrs. 6365, 6366, 6367, 558-565, 583-589 en 601-608.

[77] Zie hierover uitvoerig in mijn Tilburgse oratie *De legitieme ontbloot of dood? Leve de echtgenoot!*, *Tijdschrift voor Privaatrecht* 2000, 1111-1236, eerste uitgave en in *Serie Ars Notariatus*, CXIII, Deventer, Kluwer, 2002, tweede herziene uitgave.

In tegenstelling tot de reserve zijn dwingende vermogensaanspraken op de nalatenschap gerichte lasergestuurde raketten die op grond van een verantwoorde grondslag (verzorging, behoefte of bijdrage) zoveel laten toekomen als nodig aan diegene die daarop recht heeft ingevolge de genoemde grondslag. Dergelijk mechanisme is goed ingeburgerd in de Anglo-Amerikaanse wereld. In het nieuwe Nederlandse erfrecht zijn de wettelijke rechten een mooi voorbeeld van dergelijke aanpak.

Rechtsvergelijkende situering

Zowel in de landen van de Romaanse, de Germaanse als de Scandinavische rechtsfamilie behoort de reserve tot de kern van het erfrecht. In Europa is de reserve enkel in Engeland, notoir vertegenwoordiger van de Anglo-Amerikaanse rechtsfamilie, totaal onbestaand. Rechtsvergelijkend kunnen drie types worden onderscheiden. Er is een sterke reserve in de Romaanse traditie, een afgezwakte reserve in de Germaanse en Scandinavische traditie en helemaal geen reserve, althans niet voor bloedverwanten, in de Anglo-Amerikaanse traditie.

Enigszins veralgemenend kan worden geponeerd dat de Romaanse rechtsfamilie de meest klassieke en conservatieve bloedverwanten-reserve kent, gebaseerd op de Code Napoléon van 1804. Hier wordt de nadruk gelegd op een sterke bescherming van reservataire erfgenamen. Het Belgische recht vormt het prototype van een conservatieve en sterke reserveregeling, die niet meer aangepast is aan de omstandigheden van de huidige samenleving. Het Nederlandse erfrecht is sinds de invoering van het nieuwe erfrecht (2003) verhuisd naar het type van de afgezwakte reserve[78].

De Germaanse en Scandinavische rechtsfamilies hebben nooit een zo sterke reserveregeling gekend als de Romaanse landen. Op diverse punten is hun regeling dan ook veel beter verteerbaar. In deze landen is tot op zekere hoogte een meer acceptabel evenwicht tot stand gebracht tussen de zgn. morele verplichtingen ten aanzien van reservataire erfgenamen en de rechtmatige wens van de overledene om in vrijheid en naar goeddunken over zijn vermogen te kunnen beschikken. Beschouwd ten aanzien van de sterke Romaanse reserveregeling kan hier zeker worden gewaagd van een afgezwakte of uitgeholde reserve. Het nieuwe Nederlandse erfrecht illustreert dit goed.

---

[78] Zie mijn bijdrage "Nieuw Nederlands erfrecht in rechtsvergelijkend perspectief", in *Nieuw erfrecht – Verslagboek 36e Landelijk Notarieel Studentencongres 2001, Ars Notariatus CXIV,* Deventer, Kluwer, 2002, 51-67 en ook "Het nieuwe erfrecht internationaal gesitueerd", *WPNR* 2003, nr. 6516, 20-27.

Tot slot is er de Anglo-Amerikaanse traditie waar over het algemeen geen reservebescherming bekend is, althans niet ten gunste van bloedverwanten. Wel wordt in diverse gevallen voorzien in een voorbehouden erfdeel voor de langstlevende echtgenoot. Tevens kent het Anglo-Amerikaanse recht een sterk ontwikkeld systeem van dwingende vermogensaanspraken op de nalatenschap (family provisions). Ook hierbij vindt het nieuwe Nederlandse erfrecht, met de wettelijke rechten, aansluiting.

4.2. BLOEDVERWANTEN-RESERVE

Reservataire erfgenamen

In de Code Civil komt aan de kinderen en de ascendenten van de overledene een reservatair erfrecht toe. Aan broers en zusters kwam in het Belgische recht nooit een voorbehouden erfdeel toe.

Onder invloed van de rechtspraak van het EHRM (met in België vooral het bekende Marckx arrest) geldt de reservataire bescherming voor alle kinderen, ook deze geboren buiten het huwelijk. Het voorbehouden erfdeel wordt bepaald als een vastgesteld forfaitair breukdeel van de fictieve hereditaire massa (zie hierna over dat begrip). Een enig kind heeft recht op de helft, twee kinderen samen op twee derde, drie en meer kinderen samen op drie vierden (artikel 913 BW). Het beschikbaar deel, dit is het gedeelte van zijn vermogen waarover iemand vrij mag beschikken, is dan respectievelijk beperkt tot de helft, een derde of een vierde. Tot de kinderen worden ook gerekend, via de plaatsvervulling en dus bij staak, de verdere afstammelingen (artikel 914 BW).

Bij overlijden zonder kinderen komt aan de dichtste ascendenten van elke lijn (vaderlijke en moederlijke) een voorbehouden deel van een vierde toe, dus samen maximaal de helft (artikel 915, lid 1 BW). Het is duidelijk dat de reserve van ascendenten enkel aan de orde is in de mate dat zij volgens de regels van orde en graad geroepen zijn tot de nalatenschap[79]. Deze reserve kan echter niet worden ingeroepen tegen een langstlevende echtgenoot (artikel 915, lid 2 BW), die derhalve geheel de nalatenschap kan toebedeeld krijgen. Wanneer de overledene echter geen afstammelingen nalaat, mogen de ascendenten die ten tijde van het overlijden behoeftig zijn, ten aanzien van de nalatenschap levensonderhoud vorderen ten belope van de erfrechten die zij verliezen ten gevolge van giften aan de langstlevende echtgenoot (artikel 205 *bis* § 2 BW).

---

[79]   Zie Hoofdstuk 1. De reserve kan dan ook niet in stelling worden gebracht voor het overlijden van de erflater (*cf.* Luik 8 januari 2002, *Journal des Tribunaux* 2002, 436).

Fictieve hereditaire massa

Daar men er in de klassieke visie van uitgaat dat de reservatairen recht hebben op een voorbehouden deel van het vermogen, moet worden voorkomen dat de erflater dit zou frustreren door zijn vermogen uit te hollen zodat er niet veel meer zou overblijven op het ogenblik van zijn overlijden. Daarom worden de reservataire rechten niet louter berekend op de bestaande goederen die de erflater nalaat op het ogenblik van zijn overlijden, maar moeten daar fictief alle goederen aan toegevoegd worden waarover de erflater tijdens zijn leven gratis heeft beschikt; de schenkingen dus. De fictieve hereditaire massa wordt samengesteld door eerst van de bestaande goederen de schulden af te trekken[80], en dan daaraan alle tijdens het leven gedane schenkingen toe te voegen, berekend tegen hun waarde op het ogenblik van het overlijden volgens hun staat of toestand op het ogenblik van de schenking (artikel 922, lid 1 BW).

Waarderingsregel

Omwille van deze (fel bekritiseerde) waarderingsregel is het ten zeerste af te raden om in waarde fluctuerende goederen (zoals een stuk bouwgrond of aandelen) te schenken aan de kinderen afzonderlijk. Het is aangewezen om dergelijke goederen te schenken in onverdeeldheid, zodat de kinderen exact hetzelfde ontvangen[81]. Op schenkingen van geld of een vordering is het nominalisme van toepassing. Evenmin een goed idee is dus om aan Rob een stuk grond van 200.000 euro te schenken en aan Babette een som geld van 200.000 euro, waarmee zij dan bouwgrond koopt. Wanneer 20 jaar later bij overlijden van de schenker de bouwgrond van Rob 600.000 euro waard is, zal de schenking voor dat bedrag in rekening worden gebracht, terwijl Babette weg komt met het nominale bedrag van 200.000 euro.

Voor wat de schenking van aandelen betreft, is recent een mogelijkheid ingevoerd om de waarde daarvan, ook voor de berekening van de reserve, vast te klikken. Artikelen 140*bis*-140*octies* van het Wetboek der Registratierechten voorzien in de mogelijkheid om, onder bepaalde strikte voorwaarden, een schenking te doen van aandelen of deelbewijzen van een ven-

---

[80] In de praktijk worden van de bestaande goederen eerst de schulden afgetrokken, waarna dan de schenkingen worden toegevoegd. Een letterlijke toepassing van artikel 922 Belg. BW noopt evenwel tot een schuldenaftrek na toevoeging van de schenkingen, hetgeen in het voordeel uitpakt van de reservatairen.

[81] Wanneer de kinderen daarna zelf uit onverdeeldheid treden, is er geen probleem van een mogelijke ongelijke behandeling in het licht van de reserve. Zie over de dubbele akte in Hoofdstuk 3.

nootschap of van een onderneming tegen een verminderd tarief van drie procent. Dergelijke schenking is niet alleen fiscaal interessant, maar heeft ook het civielrechtelijke voordeel dat de schenking voor de berekening van de fictieve massa niet in rekening wordt gebracht voor de waarde van de geschonken goederen bij overlijden (de normale regel), maar voor de waarde op het ogenblik van de schenking (artikel 922, lid 2 BW).

Toevoeging van alle schenkingen

Enkel schenkingen moeten worden toegevoegd omdat alleen kosteloze handelingen de rechten van reservatairen zouden uithollen. Voor handelingen onder bezwarende titel is dit niet zo omdat er een tegenprestatie in het vermogen terechtkomt, die dan in de plaats komt van het vervreemde goed. Nochtans worden tal van handelingen onder bezwarende titel gesteld zonder dat er enige duurzame of blijvende return in het vermogen terechtkomt: dure lunches en diners, cruises en verre reizen zijn consumptie-uitgaven die, indien op systematische wijze doorgevoerd, het vermogen op verregaande wijze kunnen uithollen. Op grond van de reserve kan daartegen niet worden geageerd.

Alle schenkingen moeten bij de fictieve massa worden gevoegd, wanneer ook gedaan en onder welke vorm ook, dus ook handgiften, vermomde en onrechtstreekse schenkingen. Een belangrijke uitzondering is de schenking gedaan bij toepassing van artikel 918 BW[82]. Het is derhalve essentieel te weten of een vervreemding om niet dan wel om baat gebeurde. Nochtans is de scheidingslijn niet altijd even duidelijk te trekken[83]. Zo zijn er diverse transacties die niet als schenking worden aangemerkt of waarvan de verrekening met het oog op de reserve wordt beperkt of uitgesloten. Een voorbeeld van het eerste is de tontine en het aanwasbeding, dat wordt geacht te zijn aangegaan onder bezwarende titel, met name als een kanscontract, indien er een gelijke inbreng, gelijke leeftijd en gezondheid is tussen de contractanten, en voorzover geen intentie van vrijgevigheid wordt aangetoond. Een voorbeeld van het tweede is de levensverzekering die de mogelijkheid biedt om kapitalen te laten toekomen aan derden, vaak gekwalificeerd als een onrechtstreekse schenking, terwijl enige reservataire aanval hiertegen zeer beperkt is[84].

---

[82] Zie Hoofdstuk 3.

[83] Zie M. COENE, "De testeervrijheid en de verzorging van nabestaanden", *Tijdschrift voor Privaatrecht* 1994, 1944-1962.

[84] Artikel 124 van de wet op de landverzekeringsovereenkomst van 1992 bepaalt immers dat de premies betaald voor de verzekering niet onderworpen zijn aan inbreng en inkorting, op voorwaarde dat de premies niet kennelijk buiten verhouding staan tot de vermogenstoestand van de verzekeringnemer.

Het voordeel dat dochter Loes bekomt doordat papa en mama gedurende vele jaren helpen in haar huishouden, het huis schilderen en onderhouden, en voor de kinderen zorgen, wordt op generlei wijze voor de berekening van de fictieve massa in rekening gebracht. Opdat er technisch-juridisch sprake zou zijn van een schenking moet er immers zakelijke verarming optreden: een vermogensbestanddeel moet het vermogen van de schenker verlaten. Gederfde winst (mama had tegen betaling in een crèche voor kinderen kunnen zorgen of had bij derden kunnen poetsen en vader had elders tegen betaling kunnen schilderen, behangen of tuinieren) valt daar niet onder. Dat het presteren van diensten een onvoldoende zakelijke verarming zou zijn om tot een schenking te besluiten, is zeer bekritiseerbaar. Immers, bij handelingen onder bezwarende titel wordt het leveren van een dienst wel als een volwaardige tegenprestatie beschouwd. In een tijd waar facturen doorslaan door werkuren veeleer dan door geleverde materialen, kan toch moeilijk worden beweerd dat een dienstverlening economisch minder belangrijk is dan het kosteloos afstaan van een vermogensbestanddeel[85]? Kosten voor standverschaffing zijn aan inbreng (zie hierna) onderworpen (artikel 851 BW), maar kosten van opvoeding en opleiding niet (artikel 852 BW). Koop je voor 100.000 euro een apotheek voor zoon Piet en betaal je voor 100.000 euro buitenlandse studies voor dochter Kaat, dan moet Piet inbrengen en Kaat niet. Het zijn immers kosten voor opvoeding en opleiding (artikel 852 BW). Deze laatste kosten komen dan evenmin ter sprake bij de samenstelling van de fictieve massa.

Een voor de praktijk zeer belangrijke beperking van de kwalificatie als schenking is de regeling van de huwelijksvoordelen tussen echtgenoten. Deze worden bij wijze van fictie geacht, tot een bepaald plafond, te zijn aangegaan onder bezwarende titel (artikelen 1458 en 1464 Belg. B.W.). Hierbij kan een eenvoudige vuistregel worden gehanteerd.

Enkel hetgeen de langstlevende krachtens huwelijkscontract verkrijgt boven de som van het hiernavolgende plafond, komt in aanmerking als schenking die bij de fictieve massa moet worden gevoegd. Dit plafond wordt bereikt door de som van de eigen inbreng, alle huwelijkse aanwinsten en de helft van de inbreng van de eerststervende. Bij een gewoon wettelijk stelsel van gemeenschap van aanwinsten met verblijvingsbeding van geheel de gemeenschap voor de langstlevende, ligt er derhalve geen schenking voor. Dit zou slechts het geval zijn in de mate dat de overleden echtgenoot een goed heeft ingebracht in de gemeenschap, en wel ten belope van de

---

[85] Zie M. PUELINCKX-COENE, "Bedenkingen bij de schenkingen", *Tijdschrift voor Privaatrecht* 2000, 613-620 en "Bedenkingen bij de schenking naar Belgisch burgerlijk recht", in *Yin-Yang. Van Mourik Bundel,* Deventer, Kluwer, 2000, p. 11-18.

helft van deze inbreng. Deze regel geldt echter enkel indien de langst-levende in samenloop komt met gemeenschappelijke kinderen.

Bij een confrontatie met kinderen uit een vorig huwelijk van de overledene, komt de langstlevende er minder goed van af. Dat is logisch. In het vorige geval wordt het erfrecht van de kinderen immers gewoon uitgesteld, daar zij van de langstlevende zullen erven. Indien de langstlevende niet de ouder is van de kinderen, zullen zij echter niet van deze echtgenoot erven. Daar-om wordt een huwelijksvoordeel hier sneller gekwalificeerd als een schen-king, teneinde het reservataire erfrecht van de kinderen van de overleden eerste echtgenoot veilig te stellen. Het plafond ligt hier op de eigen in-breng van de langstlevende en de helft van de huwelijkse aanwinsten (artikel 1465 BW)[86]. Al hetgeen de langstlevende daarboven krachtens huwelijksvermogensstelsel verkrijgt, zal toch als schenking moeten worden toegevoegd aan de fictieve massa.

Reserve in natura, vrij en onbezwaard

In de klassieke Romaanse stelsels wordt de reserve gekwalificeerd als een *pars hereditatis*. Dit betekent dat de reservatairen een zakelijk recht hebben op de erfgoederen. Met andere woorden: zij hebben een recht op deze welbepaalde goederen in natura, vrij en onbezwaard[87], en moeten zich niet tevreden stellen met een loutere vordering in geld. Als inbreuk op de beschikkingsvrijheid van de overledene kan dit tellen. Hier blijkt duidelijk hoe de klassieke reserve de schenking als eigendomstitel precair maakt. Immers, als de overledene vele jaren geleden een bepaald goed heeft weggeschonken, dan kan de inkorting ten gunste van een reservatair ertoe leiden dat de begiftigde zijn eigendomsrecht verliest.

Inbreng

Voor een goed begrip moet voor schenkingen aan een erfgenaam een onderscheid worden gemaakt tussen schenkingen als voorschot op erfenis en schenkingen met vrijstelling van inbreng.

Omwille van de gelijkheid tussen de erfgenamen is een schenking aan een erfgenaam, d.i. als daaromtrent niets uitdrukkelijk wordt bepaald, een schenking die geldt als voorschot op erfdeel. Dit betekent dat de begiftigde erfgenaam bij leven van de schenker eigenlijk enkel een voorschot krijgt op wat hij later bij overlijden van de schenker zou erven. Wat hij al op

---

[86]   Zie ook in Hoofdstuk 6 voor een toepassing.
[87]   Zie in Hoofdstuk 3.

voorhand heeft gekregen, zal hij dan moeten teruggeven. Dit is de inbreng van schenkingen. Voor onroerende goederen is in principe vereist dat het geschonken goed in natura wordt ingebracht in de te verdelen nalatenschap (zie artikel 858 en 859 BW). Aldus is het niet mogelijk dat deze erfgenaam dit onroerend goed zou behouden mits betaling van een opleg aan de andere erfgenamen, behoudens akkoord van deze laatsten[88]. Voor roerende goederen geschiedt de inbreng door mindere ontvangst, dus door aanrekening op het erfdeel van de begiftigde, zodat deze het gekregene niet moet teruggeven maar gewoon minder zal krijgen uit de bestaande goederen nagelaten bij overlijden (artikel 858 en 868 BW). In het huidige Nederlandse recht is dit niet anders, maar dit wordt radicaal gewijzigd in het nieuwe erfrecht, waar de regel gewoon wordt omgekeerd: geen inbreng tenzij uitdrukkelijk bedongen. In België geldt de klassieke regel: wel inbreng tenzij anders bedongen (artikel 843 BW).

Voornoemde schenkingen staan tegenover schenkingen buiten (erf)deel aan een erfgenaam, ook genoemd schenkingen met vrijstelling van inbreng. Deze moeten immers niet worden ingebracht of aangerekend op het erfdeel (daarom dus buiten deel), maar komen als een extra verkrijging bovenop het gewone erfdeel (daarom dus aan te rekenen op het beschikbaar gedeelte). Zoals gezegd is hiervoor in België een uitdrukkelijk beding in die zin vereist, in de schenkingsakte of ook in een testament (artikel 919 lid 2 BW). Rechtspraak en doctrine aanvaarden evenwel dat de vrijstelling van inbreng ook kan worden aangenomen indien dit met zekerheid kan worden afgeleid uit het geheel van de akte of zelfs uit de omstandigheden waarin of de manier waarop de schenking tot stand kwam.

Inkorting

Wanneer ten gevolge van legaten of schenkingen aan derden of aan een erfgenaam buiten deel, het beschikbaar gedeelte wordt overschreden, dan is de reserve geschonden, zodat de reservatairen in de mate van deze schending een vordering tot inkorting kunnen instellen (met alle middelen) (artikel 920-921 BW). Eerst worden de legaten ingekort, en dan de schenkingen, te beginnen met de meest recente (artikel 923 BW).

De inkorting gebeurt in principe in natura. Uitzonderlijk is in een aantal gevallen inkorting in waarde toegestaan[89]. In geval van een schenking wordt

---

[88] Als de begiftigde het geschonken onroerend goed voor het openvallen van de nalatenschap van de schenker heeft vervreemd, dan is er geen inbreng in natura maar wel in mindere ontvangst (artikel 860 BW).
[89] Zo bv. bij toepassing van artikel 1464 BW en van artikel 918 BW.

het eigendomsrecht van de begiftigde, ook al bestaat dit reeds tientallen jaren, ontbonden met terugwerkende kracht. De inkorting in natura van een schenking van een onroerend goed betekent dat de begiftigde die twintig jaar geleden een huis heeft gekregen, dit zal moeten teruggeven, vrij van alle lasten waarmee hij dit goed zou hebben bezwaard, bv. een hypotheek (zie artikel 929 BW). Het is duidelijk dat de rechtszekerheid hiermee niet gediend is.

Ontneming van reserve

Daar de reserve een regeling van dwingend recht is, is het voor de erflater of testator niet mogelijk om iemand zijn reservataire rechten te ontnemen. Wel bepaalt de wetgever dat onder omstandigheden een reservatair zijn rechten niet zal kunnen claimen. Dit is het geval bij erfrechtelijke onwaardigheid, die onder strikte voorwaarden van rechtswege optreedt, los van enige vergiffenis door de schenker of testator.

Het dwingendrechtelijke karakter van de reserve impliceert eveneens dat de reservatair niet op voorhand afstand kan doen van zijn reserve of eraan kan verzaken. Dit zou trouwens ook indruisen tegen het verbod om overeenkomsten te sluiten over een nog niet opengevallen nalatenschap[90]. Daar hij de reservebescherming moet opeisen via het instellen van een vordering tot inkorting, kan een reservataire erfgenaam wel na het openvallen van de nalatenschap berusten in de schending van zijn reserve.

In de testamentaire praktijk wordt vaak gebruik gemaakt van deze mogelijkheid van berusting. Wanneer een testator bepaalde beschikkingen wenst op te nemen die door de reservatairen geheel of ten dele zouden kunnen worden aangevochten, dan is het nuttig om in het testament een beding op te nemen dat de reservatairen opdraagt om binnen een bepaalde termijn en schriftelijk bij een notaris van hun keuze een verklaring van berusting af te leggen. Indien de verklaring wordt afgelegd, dan kan het testament volledig worden uitgevoerd, ook al bevat het bepalingen die niet verenigbaar zijn met de reserve (bv. bewind of fideicommissum de residuo). Indien dergelijke verklaring niet of niet tijdig wordt afgelegd, dan treedt een in het testament opgenomen alternatieve beschikking in werking die bepaalt dat de betrokken reservatair dan niet meer kan ontvangen dan zijn reservataire erfgedeelte. Aldus heeft de reservatair de keuze tussen een groter erfdeel met een bepaalde last daarop of een kleiner erfdeel, met name zijn reserve, zonder dergelijke last.

---

[90]   Zie daarover in Hoofdstuk 3.

4.3. ECHTGENOTEN-RESERVE

In aansluiting op de internationale ontwikkelingen om in het erfrecht het verzorgingsaspect ten aanzien van de langstlevende echtgenoot te versterken, voerde België met de wet van 14 mei 1981 een reservatair erfrecht voor de echtgenoot in. Gelet op de moeilijke belangenafweging tussen beschikkingsvrijheid en dwingende rechten, werd gekozen voor een compromis, met name een reserve in vruchtgebruik. Dit ligt in de lijn van het intestaatserfrecht van de langstlevende, dat ook in vruchtgebruik is. Als tegenstander van de reserve betreur ik de toekenning van een reserve aan de langstlevende. Het in mijn Tilburgse oratie geponeerde primaat van de langstlevende echtgenoot moet m.i. in eerste instantie worden geregeld via huwelijksvermogensrecht (of liever relatie-vermogensrecht) en voor zoveel als nodig via dwingende erfrechtelijke vermogensaanspraken, op grond van verzorging, behoefte of bijdrage (cf. de wettelijke rechten in het nieuwe Nederlandse erfrecht), maar niet via het blinde reservekanon.

Abstracte en concrete vruchtgebruik-reserve

De langstlevende echtgenoot geniet van een dubbele vruchtgebruik-reserve, abstract en concreet. De abstracte of kwantitatieve reserve omvat het vruchtgebruik op de helft van de goederen van de nalatenschap (artikel 915*bis* § 1 BW). De concrete of kwalitatieve reserve is het vruchtgebruik op het onroerend goed dat bij het openvallen van de nalatenschap het gezin tot voornaamste woning diende en het daarin aanwezige huisraad (artikel 915*bis* § 2, eerste lid BW). Beide reserves gelden als een minimum. Ook al zouden gezinswoning en huisraad in waarde meer bedragen dan de helft van de nalatenschap, dan nog geldt de reserve over de totaliteit van deze "preferentiële" goederen (artikel 915*bis* § 2, derde lid BW). Wanneer deze goederen op minder dan de helft van de nalatenschap worden gewaardeerd, dan wordt het vruchtgebruik daarop toegerekend op de abstracte reserve van de helft, met vruchtgebruik op andere activa, alles samen ten belope van de helft.

Het recht van vruchtgebruik op de voornaamste gezinswoning en daarin aanwezige huisraad blijft ook onder de nieuwe wet tot regeling van het erfrecht van de langstlevende echtgenoot, conform artikel 1388, lid 2 BW, onaantastbaar. Dit is het gevolg van amenderingen in de Senaat, daar waar de Kamer eerst had besloten dat ook dit vruchtgebruik in de regeling tussen de echtgenoten kon worden uitgesloten, zonder dat evenwel aan de langstlevende het recht kon worden ontnomen om gedurende ten minste een jaar na het openvallen van de nalatenschap het kosteloos gebruik te hebben van gezinswoning en huisraad[91].

Proportionele aanrekening

Wanneer de langstlevende echtgenoot opkomt samen met erfgenamen aan wie de wet een reserve toekent, dan wordt de echtgenoten-reserve naar evenredigheid aangerekend op de reserve van de mede-erfgenamen en op het beschikbaar deel (artikel 915*bis* § 4 BW). Voorbeeld: Jan overlijdt. Hij laat zijn vrouw Marie en zijn twee kinderen Rik en Rika achter. Hij heeft een testament gemaakt waarin hij het hele beschikbare deel van zijn nalatenschap vermaakt aan zijn vriend Bob. Gezinswoning en huisraad bedragen samen dertig procent van de nalatenschap. Laat ons eerst de situatie onderzoeken als Marie er niet zou zijn:

– Reserve voor Rik: een derde volle eigendom
– Reserve voor Rika: een derde volle eigendom
– Beschikbaar deel voor Bob: een derde volle eigendom

Daarop moeten wij nu proportioneel de vruchtgebruik-reserve van Marie imputeren:

– Reserve voor Rik: een zesde volle eigendom en een zesde blote eigendom
– Reserve voor Rika: een zesde volle eigendom en een zesde blote eigendom
– Beschikbare deel voor Bob: een zesde volle eigendom en een zesde blote eigendom.

Uit het voorbeeld blijkt dat de reserve van de kinderen voor de helft wordt bezwaard door het reservatair vruchtgebruik van de langstlevende echtgenoot, indien de erflater het beschikbaar deel aan een derde heeft vermaakt. Wat gebeurt er evenwel als Jan zijn vrouw Marie maximaal wil beschermen en haar aanstelt als algemeen legataris? In dat geval zal Marie het volledige beschikbaar deel van een derde in volle eigendom verkrijgen. Volgens artikel 1094, lid 1 BW behoudt Marie daarenboven haar vruchtgebruik-rechten op de overige twee derden van de nalatenschap, zodat de reserve van de kinderen geheel wordt ingekrompen tot de blote eigendom op deze twee derden.

Jan zou wel kunnen bepalen dat het zijn bedoeling is om aan Marie uitsluitend het beschikbaar deel van een derde in volle eigendom te geven.

---

[91]   Zie de tekst van artikel 1388, lid 2 BW in de versie aangenomen door de Kamer in plenaire vergadering en overgezonden aan de Senaat op 16 mei 2002, *Parl. St.* Kamer 2001-2002, Doc. 50, 1353/010, p. 3.

De schenker of erflater kan zijn echtgenoot immers beperken tot geschonken of gelegateerde goederen. Deze beschikking kan nochtans geen afbreuk doen aan de reserve van de langstlevende. Zo de schenking of het legaat in volle eigendom in waarde minder bedraagt dan de kapitaalwaarde van het vruchtgebruik op de helft van de nalatenschap, dan kan de langstlevende ter aanvulling van het legaat of de schenking opeisen hetgeen noodzakelijk is om de reserve te bekomen, in voorkomend geval volgens de waarde van deze reserve in kapitaal (artikel 1094, lid 3 BW).

Ontneming van reserve

Anders dan bij de reserve van kinderen, kan een echtgenoten-reserve in uitzonderlijke omstandigheden worden ontnomen aan de langstlevende.

De erflater kan zijn echtgenoot de abstracte reserve ontnemen, voorzover voldaan is aan de strikte voorwaarden van artikel 915*bis* § 3 BW. Ten eerste moet de erflater een ontervend testament maken. Ten tweede moeten de echtgenoten op de dag van overlijden sinds meer dan zes maanden gescheiden leven. Ten derde moet de erflater, voor zijn dood, bij een gerechtelijke akte als eiser of als verweerder een afzonderlijk verblijf hebben gevorderd en mogen de echtgenoten na die akte niet meer opnieuw zijn gaan samenwonen. Indien aan de vereisten is voldaan, dan heeft de onterving van rechtswege effect, zonder dat aan de rechter enige discretionaire bevoegdheid toekomt.

Buiten voornoemde hypothese kan de abstracte reserve ook worden ontnomen aan de langstlevende echtgenoot die blijkt een kind te hebben verwekt in overspel (artikel 334ter, lid 3 BW). De andere echtgenoot kan dan de abstracte reserve geheel of gedeeltelijk ontnemen, bv. in een ontervend testament.

In geval van feitelijke scheiding der echtgenoten zal de langstlevende de concrete reserve op de gezinswoning en huisraad, waar de echtgenoten hun laatste echtelijke verblijfplaats hadden gevestigd, slechts verkrijgen op voorwaarde dat de langstlevende echtgenoot daar is blijven wonen (of tegen zijn wil verhinderd werd dit te doen) en op voorwaarde dat de toewijzing van dit vruchtgebruik voldoet aan de eis van billijkheid (artikel 915*bis* § 2, lid 2 BW). Hier is er bijgevolg geen automatische onterving. De rechter beschikt over een ruime appreciatiebevoegdheid.

Onterving is voorts aan de orde in het raam van de regeling van wederzijdse rechten voorafgaand aan een echtscheiding door onderlinge toestemming. Conform artikel 1287 van het Gerechtelijk Wetboek moeten de echtgenoten in deze akte een regeling treffen omtrent de erfrechten voor het geval één van hen zou overlijden voor het vonnis of arrest waarbij de echtscheiding definitief wordt uitgesproken.

Tot slot moet nog worden opgemerkt dat de langstlevende, zelfs deze gescheiden van tafel en bed, en zelfs al heeft deze een overspelig kind verwekt, te allen tijde levensonderhoud kan vorderen ten laste van de nalatenschap indien hij of zij ten tijde van het overlijden van de erflater behoeftig is (artikel 205*bis* BW).

Bijzondere regeling van erfrecht tussen echtgenoten[92]

Wie een tweede huwelijk aangaat, en reeds kinderen heeft uit een vorige relatie, wenst vaak een vermogensrechtelijke regeling die de rechten van die kinderen veilig stelt. Zeker bij een huwelijk op oudere leeftijd, waarbij de kans dat er uit dat huwelijk nog kinderen zullen worden geboren, uitgesloten is, is de bekommernis om het voorhuwelijkse vermogen te vrijwaren voor de kinderen sterk aanwezig. In dergelijke situatie moet men zich goed realiseren dat zelfs een huwelijkscontract van de meest zuivere en strikte scheiding van goederen, niet belet dat bij overlijden van de echtgenoot met kinderen minstens de helft van diens eigen vermogen in vruchtgebruik toekomt aan de langstlevende, de nieuwe echtgenote. Levenslang vruchtgebruik op de helft van het vermogen kan voor de kinderen, ondanks het toekomstperspectief van aanwas bij hun blote eigendom, een bittere pil zijn, zeker als zij even oud of zelfs ouder zijn dan hun stiefouder. Bovendien kan het vruchtgebruik worden omgezet in een kapitaal in volle eigendom (zie hoger nr. 2.4.). Daarmee zijn deze activa dan definitief verloren voor de kinderen.

In de praktijk is deze sterke erfrechtelijk reservataire positie van de langstlevende regelmatig een determinerende reden om dan toch maar niet voor een huwelijk te opteren en het bij samenwoning te houden. Reeds vele jaren werd er vanuit diverse hoeken, in het bijzonder het notariaat, voor gepleit om de echtgenoten de mogelijkheid te bieden om via hun huwelijkscontract een regeling uit te werken die van deze, soms als te verregaand ervaren, bescherming zou afwijken. Zogenaamd om de verworvenheden van de wet van 1981, die de genoemde erfrechtelijke bescherming van de langstlevende invoerde, niet op de helling te zetten of uit te hollen, werd nooit aan deze oproep tegemoet gekomen.

---

[92] Het betreft de reeds diverse malen genoemde Wet van 22 april 2003 in verband met het erfrecht van de langstlevende echtgenoot, *Belgisch Staatsblad* 22 mei 2003, in werking vanaf 1 juni 2003.

Medio 2001 werd dit plots anders, omdat moest worden voldaan aan de romantische behoeften van een volksvertegenwoordiger uit een meer-derheidspartij. Als "fin de carrière"-geschenk meende men een wettelijke regeling te moeten aanbieden die dit lid van de Kamer van Volksver-tegenwoordigers de mogelijkheid zou bieden om te huwen met zijn nieuwste vlam, met goedkeuring van zijn kinderen. Deze laatsten dachten immers bepaalde rechten te kunnen claimen op het vermogen van hun vader, dewelke door een huwelijk en de zware erfrechtelijke gevolgen van reserve in vruchtgebruik, al te zeer zouden worden verstoord. Wat jaren onmogelijk bleek, geraakte nu in een stroomversnelling. Ondanks de wei-nig fraaie motieven voor de gewijzigde houding der politici, besloot het notariaat terecht constructief mee te werken aan het ingediende wetsvoor-stel, dat in zijn eerste versie geheel op het lijf en de noden van de be-trokkene was geschreven[93]. Diverse amendementen volgden, tot midden 2002 een ontwerp werd overgezonden aan de Senaat. Ook daar volgden tal van amendementen en werd nog een belangrijk element gewijzigd, met name omtrent het recht van vruchtgebruik op de gezinswoning en huisraad (zie reeds hoger).

Uiteindelijk werd ervoor geopteerd om aan artikel 1388 BW een tweede lid toe te voegen om aldus aan de echtgenoten de mogelijkheid te geven om bij huwelijkscontract of wijziging aan het huwelijksstelsel een regeling te treffen over het erfrecht. Artikel 3 van de wet voegt een vijfde paragraaf toe aan artikel 915*bis* BW waarin wordt gestipuleerd dat van het bepaalde in artikel 915*bis* omtrent de reserve van de langstlevende echtgenoot kan worden afgeweken in het geval bedoeld in artikel 1388 BW.

De mogelijkheid om dergelijke regeling te treffen is gereserveerd voor echtgenoten met kinderen uit een vorige relatie. Een stroming binnen het Comité voor Studie en Wetgeving van de Koninklijke Federatie van Bel-gische Notarissen, waaronder ikzelf, was van mening dat dit onderscheid niet gerechtvaardigd is en dat dergelijke regeling ook mogelijk moet zijn voor echtgenoten zonder kinderen uit een andere relatie[94]. Ook de Raad van State merkt in zijn advies op dat deze kritiek van discriminatie en schending van de artikelen 10 en 11 van de Grondwet ernstig is. De Raad vervolgt verder: "Zelfs indien er verschillen bestaan tussen een eerste huwelijk en een tweede met kinderen uit een eerste huwelijk, rijst de vraag of de verschillen kunnen rechtvaardigen dat in het Burgerlijk Wetboek twee

---

[93] Wetsvoorstel tot wijziging van enkele bepalingen van het Burgerlijk Wetboek in verband met het erfrecht van de langstlevende echtgenoot, ingediend door de heer Jef Valkeniers op 13 juli 2001, *Parl. St.* Kamer 2000-2001, Doc. 50, 1353/001.

[94] Zie *Parl. St.* Kamer 2001-2002, Doc. 50, 1353/005, p. 7.

erfrechtstelsels van de langstlevende echtgenoot worden opgenomen. Tegen de ontworpen regeling zou dus eventueel een beroep kunnen worden ingesteld bij het Arbitragehof"[95].

Wat er ook van zij, voornoemde discriminerende regeling, zogenaamd omdat anders de verworvenheden van de wet van 1981 op de helling worden gezet, is in de uiteindelijke wettekst behouden. Wanneer op het tijdstip van het huwelijkscontract of de wijzigingsakte een van de echtgenoten één of meer afstammelingen heeft die voortkomen uit een andere relatie van voor hun huwelijk of die geadopteerd werden voor hun huwelijk, of afstammelingen van de geadopteerden, dan kunnen de echtgenoten, bij huwelijkscontract of wijzigingsakte, geheel of ten dele, zelfs zonder wederkerigheid, een regeling treffen over de rechten die de ene in de nalatenschap van de andere kan uitoefenen.

Aldus dienen echtgenoten zich bij dergelijke regeling niets aan te trekken van het intestaatserfrecht tussen echtgenoten, en ook niet van het reservataire erfrecht. Dit laatste met één uitzondering weliswaar, met name dat het niet mogelijk is om aan de langstlevende het recht van vruchtgebruik over gezinswoning en huisraad, volgens de voorwaarden van artikel 915*bis*, §§ 2-4, te ontnemen. Zoals reeds vermeld ging het voorstel van de Kamer, die dit laatste beperkte tot een gebruiksrecht voor één jaar, niet zo ver. Het is in de Senaat dat de bescherming van de "concrete" reserve als onaantastbaar werd heringevoerd. Deze aanpassing valt te betreuren.

Tot slot wordt er in artikel 1388 ook uitdrukkelijk aan herinnerd dat de regeling tussen echtgenoten in huwelijkscontract of wijzigingsakte geen afbreuk doet aan aan het recht van de ene om bij testament of bij akte onder de levenden te beschikken ten gunste van de andere. Het is inderdaad evident dat de beschikkingsvrijheid van elke echtgenoot om via testament en schenking vooralsnog zijn echtgenoot te bevoordeligen, onaangetast blijft.

---

[95] *Parl.St.* Senaat 2002-2003, 2-1157/3, Advies Raad van State, Algemene opmerking.

HOOFDSTUK 5.
INTERNATIONAAL PRIVAATRECHT

5.1. ALGEMENE PRINCIPES

Verkeersrecht

Telkens zich een internationaal element in een dossier aandient, hoe beperkt ook, moet de vraag rijzen of toepassing van het eigen materiële recht wel aan de orde is. Op dat ogenblik dient te rade worden gegaan bij het internationaal privaatrecht of conflictenrecht (hierna: IPR). Dit is een soort van verkeersrecht, een verzameling van verkeersborden of richting-aanwijzers. Aan de hand van verwijzingsregels wijst het conflictenrecht de weg naar het toe te passen materiële recht.

Daarbij is het van belang een ticket te nemen bij het juiste verkeerspark. Immers, in elk park staan er andere borden. De keuze voor het verkeerde park leidt tot een verkeerde plaats van bestemming. Dit is de kwalificatie-vraag. Onder welke verwijzingscategorie moet ik mijn probleem onder-brengen? Via de juiste verwijzingscategorie vind ik de aanknopingsfactor die mij bij het toepasselijke recht brengt. De vraag wie van mijn opa erft als hij komt te overlijden zonder een testament te hebben gemaakt, is duidelijk een vraag voor het verkeerspark van het erfrecht. De afbakening is echter vaak minder eenduidig (zie verder).

Jurisdictie

Elk land heeft zijn verzameling aan verkeersparken. Het is echter bijko-mend van belang te onderzoeken of u wel binnen moet in de verkeers-parken van uw eigen land. Essentieel is te bepalen welke rechtsorde zou kunnen of wellicht zal worden gevat zo zich een discussie of een geschil zou voordoen. De gevatte rechtsorde zal immers niet uw internationaal privaatrecht, maar wel zijn eigen regels van IPR gaan toepassen.

Als u als Nederlandse notaris of advocaat wordt geconsulteerd door een Nederlander met domicilie in België, dan is de kans dat bij diens overlijden de Belgische rechtsorde voor de afwikkeling van de nalatenschap zal worden gevat, zeer groot. In dergelijk geval moet derhalve via het Belgische IPR worden bekeken wat het toepasselijk recht zou zijn voor het geval van overlijden. Het is mogelijk dat meerdere rechtsordes zich bevoegd zullen verklaren. In dat geval zal het IPR van al deze landen moeten worden bekeken, om in te schatten wat de juridische gevolgen van een bepaalde situatie kunnen zijn.

Bij de analyse van jurisdictieregels moet in eerste instantie worden gekeken naar internationale verdragen (bv. EEX), maar ook naar bilaterale verdragen, en pas daarna naar het gemene recht inzake interne en internationale bevoegdheid. Zo is er een Belgisch-Nederlands bilateraal verdrag van 28 maart 1925 betreffende onder meer het gezag en de tenuitvoerlegging van rechterlijke beslissingen[96].

Renvoi

Tevens moet de mogelijkheid van renvoi worden onderzocht. Als u volgens de toepasselijke IPR-regels uitkomt in een bepaald land, dan moet nog worden bepaald of u aankomt in het materiële recht van dat land, dan wel in het totale recht van dat land, in globo, dus inclusief het conflictenrecht van dat land. In dat laatste geval moet u niet het materiële recht van dat land toepassen, maar in de eerste plaats het conflictenrecht. Het is mogelijk dat dit terug verwijst naar het land van waar u vertrokken bent (terugverwijzing, *renvoi simple, Rückverweisung*). Het kan ook dat verder verwezen wordt naar een derde land (verderverwijzing, *renvoi double, Drittverweisung*).

In België wordt het *renvoi simple* aanvaard inzake personen- en familierecht, huwelijksvermogensrecht en erfrecht[97]. In Duitsland wordt soms het *renvoi double* toegepast. In bepaalde landen wordt renvoi nooit aanvaard, hoewel moderne ipr-wetgevingen het renvoi eerder gunstig gezind zijn. Een Belgische rechtbank paste zelfs ooit, inzake huwelijksgoederenrecht, een renvoi in de derde graad toe, maar werd in beroep hervormd[98].

5.2. VERWIJZINGSREGELS

Huwelijksvermogensrecht

De verwijzingscategorie van het huwelijksvermogensrecht beheerst vragen inzake de vermogensrechtelijke gevolgen van het huwelijk, zoals onder

---

[96]   Artikel 1, lid 1 bepaalt: "In burgerlijke zaken en in handelszaken zijn de Belgen in Nederland en de Nederlanders in België onderworpen aan dezelfde competentieregels als de eigen onderdanen." (zie J. ERAUW, *Bronnen van Internationaal Privaatrecht,* Antwerpen, Kluwer, 1997, derde druk, nr. 460).

[97]   In het wetsvoorstel voor een wetboek IPR wordt renvoi echter in beginsel uitgesloten (artikel 16). Zie *Tijdschrift voor Internationaal Privaatrecht* 2002, nr. 2, 40-101 op www.ipr.be.

[98]   Rb. Brussel 26 februari 1953, *Pasicrisie* 1956, III, p. 82, hervormd door Brussel 21 juni 1954, *Pasicrisie* 1956, II, p. 25.

meer het statuut van goederen en schulden, het bestuur der vermogens, de verhaalbaarheid van schulden, de vereffening-verdeling van een huwelijksvermogensstelsel, de keuze voor een bepaald stelsel en de wijziging van een stelsel. Dit alles wordt beheerst door de huwelijksvermogenswet. Een kwalificatieprobleem ontstaat wanneer niet duidelijk is of een bepaalde vraagstelling thuishoort bij vermogensrechtelijke dan wel bij persoonlijke gevolgen van huwelijk, of bij echtscheiding, of bij erfrecht.

Bepaling van de huwelijksvermogenswet verschilt naargelang de echtgenoten al dan niet een overeenkomst van huwelijkse voorwaarden maakten. Wij nemen eerst het geval dat dit niet zo is (wettelijk stelsel). Ter bepaling van deze objectieve huwelijksvermogenswet bestaat omtrent de aanknopingsfactor geen discussie indien beide echtgenoten van dezelfde nationaliteit zijn op het ogenblik van het sluiten van het huwelijk. Het Hof van Cassatie oordeelde dat het wettelijk stelsel zo nauw verbonden is met het huwelijk en de gevolgen daarvan dat dit de staat van de persoon betreft, zodat de gemeenschappelijke nationale wet van toepassing is[99]. Ook in Nederland is dit zo, zowel onder Chelouche-Van Leer[100] (in beginsel voor huwelijken van na 23 augustus 1977 en voor 1 september 1992), als onder toepassing van het Haags Huwelijksvermogensverdrag voor huwelijken gesloten na 1 september 1992. Immers, hoewel het Verdrag in artikel 4 kiest voor de wet van de eerste gewone verblijfplaats, heeft Nederland conform artikel 5 van het Verdrag een verklaring afgelegd waardoor de wet van de gemeenschappelijke nationaliteit geldt[101].

In geval van gemeenschappelijke nationaliteit op het ogenblik van het huwelijk zijn andere elementen niet meer relevant. Te denken valt onder meer[102] aan de plaats van het huwelijk, eerste gemeenschappelijk domicilie, woonplaats voor het huwelijk, actuele woonplaats, plaats waar men het langst woonde, centrum van activiteiten en belangen, plaats van de echtscheidingsprocedure, de omstandigheid van een duurzamere of nauwere band met een ander land, het geïntegreerd zijn in een ander land, de vermoedelijke gemeenschappelijke wil van de echtgenoten[103], de plaats van

---

[99]   Cass. 10 april 1980, *Rechtskundig Weekblad* 1980-1981, p. 918, noot ERAUW.

[100]   HR 10 december 1976, *NJ* 1977, 275.

[101]   In bepaalde gevallen verliest deze uitzondering (nationaliteit) op de hoofdregel het toch (zie tweede lid van artikel 5), maar dit speelt niet in geval van verblijfplaats in België omdat het Belgische ipr ook verwijst naar de wet van de gemeenschappelijke nationaliteit.

[102]   Zie recent nog in die zin Antwerpen 26 oktober 1999, *Tijdschrift voor Belgisch Burgerlijk Recht* 2001, p. 33, noot DE BUSSCHERE.

[103]   In tegenstelling tot de rechtspraak van het Franse Hof van Cassatie. Zie voetnoot 4 bij C. DE BUSSCHERE, "De toepasselijke wet op het wettelijk huwelijksvermogensstelsel van vreemde echtgenoten met dezelfde nationaliteit", *Tijdschrift voor Belgisch Burgerlijk Recht* 2001, p. 36.

ligging van onroerende goederen. Ook het feit dat één of beide echtgenoten later van nationaliteit veranderen doet niet terzake. Dergelijk "conflit mobile" kan geen geruisloze overgang van huwelijksvermogensrecht teweegbrengen[104], in tegenstelling tot artikel 7 van het Haags Huwelijksvermogensverdrag van 1978. Het conflit mobile is wel relevant voor de wijziging van het stelsel. Het zal immers de wet van de nieuwe aanknoping zijn die bepaalt of en hoe de wijziging mogelijk is, ook al zou dit niet kunnen volgens de huwelijksvermogenswet[105].

Indien de echtgenoten bij het sluiten van het huwelijk niet van dezelfde nationaliteit zijn, dan geldt minstens sinds 14 juli 1976 de regel dat de wet van de eerste stabiele echtelijke verblijfplaats van toepassing is. Voornoemde datum verwijst naar de nieuwe Belgische huwelijksvermogenswet die het principe van gelijkheid tussen man en vrouw invoert. In onze vroegere, meer openlijke macho-maatschappij, was dat de wet van de nationaliteit van de man. Hier rijst een intertemporeel conflict, met name de vraag hoe de nieuwe regel moet worden toegepast op bestaande huwelijken. Het Hof van Cassatie verwierp terecht een retroactieve toepassing en koos voor de eerbiedigende werking: men dient de aanknopingsfactor toe te passen zoals deze gold op datum van de huwelijkssluiting[106]. Het huwelijksvermogensrecht van de Italiaanse man in 1952 gehuwd met een Belgische vrouw wordt derhalve, ook vandaag, beheerst door het Italiaanse recht. Hiermee is echter nog niet bepaald vanaf welke datum van huwelijkssluiting de nieuwe regel moet worden toegepast. Een ruimhartige toepassing van de nieuwe regel is aangewezen: minstens vanaf de Wet van 30 april 1958, tijdstip waarop in België de handelingsbekwaamheid van de gehuwde vrouw werd ingevoerd.

Men zou van mening kunnen zijn dat de vraag naar de huwelijksvermogenswet niet problematisch is indien er een overeenkomst van huwelijkse voorwaarden is. Deze overeenkomst geldt dan als (subjectieve) huwelijksvermogenswet. Dit laatste is echter, voor het Belgische recht, niet geheel correct. Hoewel eenieder het beginsel van de wilsautonomie aanvaardt, zijn de meningen verdeeld. Volgens een eerste opvatting, die ik onderschrijf, is de wilsautonomie niet onbeperkt. De wet aangeduid volgens voornoemde regels geldt als objectieve kaderwet die bepaalt of en in hoeverre er wilsvrijheid is. De overeenkomst van huwelijkse voorwaarden kan dan maar gelden binnen de grenzen van de objectieve kaderwet. Een

---

[104]   Rb. Luik 7 maart 1994, *Revue Trimestriel de Droit Familial* 1996, p. 90.
[105]   Gent 26 mei 1994, *Tijdschrift voor Notarissen* 1995, p. 561, noot LAMBEIN en WAUTERS.
[106]   Cass. 9 september 1993, *Rechtskundig Weekblad* 1993-1994, p. 776.

andere opvatting kiest voor onbeperkte wilsautonomie en laat de echtge-noten eender welke toepasselijke huwelijksvermogenswet kiezen[107].

Erfrecht

De verwijzingscategorie van het erfrecht beheerst vragen omtrent het openvallen van de nalatenschap, de erfrechtelijke roeping, de bepaling van de devolutie (wie zijn de erfgenamen, in welke rangorde en voor welk deel, plaatsvervulling, rechten van een langstlevende echtgenoot), de bekwaam-heid om te erven, de saisine, het voorbehouden erfdeel (reserve of legi-tieme portie), de inbreng en inkorting van schenkingen, de modaliteiten van aanvaarding of verwerping. Dit alles wordt beheerst door de *lex succes-sionis*.

Ook hier moet een onderscheid worden gemaakt tussen de situatie waarbij de erflater niets regelde (versterf-erfrecht) en deze waarbij hij een testa-ment maakte, eventueel met rechtskeuze, of schenkingen deed. Ter bepa-ling van de objectieve erfwet wordt in België gebruik gemaakt van een zogenaamde disjunctieve aanknopingsfactor: het volledige roerend wereld-vermogen vererft volgens de wet van de laatste woonplaats van de erflater. Onroerende goederen vererven volgens het erfrecht van de plaats van de ligging (*lex rei sitae*). Hieruit volgt dat diverse erfwetten van toepassing kunnen zijn op een internationale nalatenschap[108]. Door de *lex fori* wordt bepaald of een goed roerend dan wel onroerend is.

De bepaling van de laatste woonplaats van de erflater geschiedt overeen-komstig artikel 102 van het Belgisch BW: dit is de plaats waar hij zijn hoofdverblijf heeft. Dit is een loutere feitenkwestie[109]: de inschrijving in het bevolkingsregister is op zichzelf geen bewijs van de werkelijkheid van de verblijfplaats[110]. Dit moet op een realistische wijze worden uitgelegd, rekening houdend met de concrete feitelijke omstandigheden. Het is de plaats waar de erflater het centrum van zijn belangen en vermogen heeft op het moment van zijn overlijden. De advocaat die mij vorig jaar belde voor een advies omtrent Botswanees erfrecht omdat zijn (in Brasschaat wonende) cliënt er tijdens een safari stierf, was derhalve wat al te voort-varend. Nederbelgen die ingeschreven zijn in het bevolkingsregister van Monaco, ervoor zorgend dat de gas-, water- en elektriciteitsrekening door

---

[107] Zie N. WATTÉ, "Wetsconflicten inzake huwelijksvermogensrecht", *Répertoire Notarial, XVIII, Boek II,* Brussel, Larcier, 1997, p. 65-66.
[108] Aldus wordt afgeweken van het principe van de eenheid van erfopvolging.
[109] Cass. 4 juli 1881, *Pasicrisie* 1881, I, p. 399.
[110] Cass. 17 april 1958, *Pasicrisie* 1958, I, p. 891.

de goede zorgen van de conciërge realistisch oploopt, maar die zeer frequent met de open Porsche in Kapellen naar de bakker en de golfclub gaan en met de Range Rover rondhotsen op de Kalmthoutse heide, lopen derhalve enig risico voor toepassing van de Belgische civiele erfwet. Belangrijker is het risico voor toepassing van de Belgische successierechten, op grond van het rijksinwonerschap conform de fiscale wetgeving.

Een zelden toegepaste, bij velen zelfs onbekende, correctie op voornoemde verwijzingsregels is het recht van voorafneming van artikel 912 BW. In geval van verdeling van een erfenis die goederen bevat gelegen op het grondgebied van een ander land dan België, kunnen de mede-erfgenamen die geen onderdaan zijn van dat andere land, van de in België gelegen goederen van de nalatenschap een deel voorafnemen dat gelijk is aan dat van de vreemde goederen waarvan zij, uit welke hoofde ook, krachtens de plaatselijke wetten en gewoonten zijn uitgesloten.

Testament en schenking

Inzake testament en schenking geldt in principe de wilsautonomie, maar deze is, zoals in het huwelijksvermogensrecht, niet onbeperkt. Het is perfect mogelijk om in een testament en ook in een schenking rechtskeuze te doen. Desalniettemin zal de objectieve erfwet de grenzen aangeven binnen dewelke het testament en de schenking gevolgen kan sorteren. De dwingende regels van de objectieve erfwet inzake inbreng en inkorting van schenkingen en legaten kunnen, naar Belgisch IPR, niet worden miskend.

Inzake testamenten moet goed het onderscheid tussen de vormelijke geldigheid en de inhoudelijke uitwerking daarvan worden onderscheiden. Voor wat de vorm betreft, geldt ook in het Belgische IPR de meest verregaande soepelheid, zoals bepaald in het Verdrag van Den Haag van 5 oktober 1961. Hier is gekozen voor een alternatieve aanknopingsfactor "in favore testamenti". Naar de vorm is het testament geldig als het voldoet aan de vormvereisten van de wet van de plaats van het opmaken, de nationale wet van de testator, de wet van de woonplaats van de testator, de wet van de gewone verblijfplaats van de testator of de wet van de ligging inzake onroerende goederen. De aanknoping aan woon- of verblijfplaats of aan nationaliteit kan zowel worden gemaakt ten tijde van het maken van de beschikking als op datum van overlijden van de testator.

HOOFDSTUK 6.
PRAKTISCHE VRAAGSTUKKEN NEDERLAND-BELGIË

Hierna zal ik pogen om voornoemde principes te illustreren aan de hand van enige problemen die in de praktijk rijzen, in het bijzonder in de combinatie Nederland-België. Ik ga uit van het overlijden van een Nederlandse man, gehuwd met een Nederlandse vrouw, met laatste woonplaats bij overlijden in België. Gelet op de verschillende aanknopingsfactoren voor huwelijksvermogensrecht en erfrecht, zal de afwikkeling van het vermogen worden beheerst door Nederlands en door Belgisch recht[111]. Het belang van het primaat "huwelijksvermogensrecht komt voor erfrecht" kan hierbij niet worden overschat. De objectieve huwelijksvermogenswet in casu is het Nederlandse recht. De objectieve erfwet daarentegen is het Belgische recht.

6.1. TESTAMENT EN RESERVE

Uitwerking Nederlands testament

Vaak vragen Nederbelgen om een nieuw testament te redigeren, omdat zij ervan uitgaan dat hun bestaande testament, gepasseerd voor een Nederlandse notaris, in België ongeldig is[112]. Het weze eens en voor altijd duidelijk dat er niets mis is met een Nederlands testament, ook niet in België. Althans niet naar de vorm. Het onderscheid tussen de vormelijke en de inhoudelijke geldigheid van een testament wordt niet altijd goed gemaakt. Zoals al aangegeven is België partij bij het Haags Verdrag inzake de vorm van testamenten. Een Nederlands notarieel testament zal voor wat de vorm betreft vrijwel altijd geldig zijn in Belgenland. Iets anders is de mate waarin dit testament inhoudelijk zijn volle uitwerking zal verkrijgen.

Het voorgaande betekent ook dat het perfect mogelijk is om een nieuw, inhoudelijk aan de Belgische context aangepast, testament te passeren voor een Nederlandse notaris. Sommige Nederbelgen voelen zich daar wat lekkerder bij, zeker als de betrokken notaris al van oudsher een vertrouwenspersoon is van de familie. Voorzover men een beetje meer formaliteiten op het ogenblik van overlijden voor lief neemt, kan dit een zeer aanbevelenswaardige handelwijze zijn.

---

[111]   Zie Hoofdstuk 2.
[112]   Zie Hoofdstuk 3.

Toch past hierbij een waarschuwing, met name dat de Nederlandse notaris zeer beducht dient te zijn omtrent de waarschijnlijke toepassing van het testament in een Belgische erfrechtelijke context, zodat hij erover moet waken dat het testament inhoudelijk geen bepalingen bevat die, ongewild[113], strijdig zijn met het dwingende Belgische recht en dan ook zonder uitwerking zouden blijven. Indien dit het geval zou zijn, zonder dat de Nederlandse notaris daarop gewezen zou hebben, dan lijkt zijn aansprakelijkheid gewis in het gedrang te komen. Nederlandse notarissen zijn evenwel zorgvuldig en verstandig, zodat het passeren van dergelijk testament vrijwel nooit geschiedt zonder voorafgaand overleg en advies van een Belgische advocaat of notaris.

Rechtskeuze Nederlands erfrecht

In beginsel heeft het testament inhoudelijk geen uitwerking in zoverre het indruist tegen dwingende bepalingen van Belgisch erfrecht, steeds uitgaande van een Belgische *lex successionis*. Keren wij even terug naar onze Nederlandse notaris die een testament maakt voor Nederbelgen. Ondanks de zorgvuldigheid van de meeste notarissen en adviseurs, blijkt in de praktijk dat enkelen toch van mening zijn dat met een rechtskeuze voor Nederlands recht als erfwet het hele Belgische zootje van tafel wordt geveegd. Aldus wordt blijkbaar uit het oog verloren dat de Belgische rechtsorde, bevoegd bij het openvallen van de nalatenschap van een erflater met laatste woonplaats in België, het Belgische internationaal privaatrecht zal toepassen, hetgeen voor het roerend wereldvermogen en in België gelegen onroerend goed onvermijdelijk zal leiden tot toepassing van Belgisch erfrecht, met inbegrip van het dwingend erfrecht. Twee nuanceringen zijn hierbij op hun plaats.

Vooreerst geldt de Belgische erfwet, en evenmin de dwingende bepalingen daarvan, niet voor onroerende goederen buiten België gelegen. Ook hier moet men voorzichtig zijn. Het betreft enkel onroerende goederen die de erflater in zijn vermogen in privé houdt. In de mate dat het onroerend goed eigendom is van een vennootschap, waarvan de erflater de aandelen houdt, is er sprake van roerend vermogen dat onderworpen is aan de Belgische erfwet. Een kasteel in Groningen, in privé eigendom van de erflater, zal vererven volgens Nederlands recht. De rechtskeuze zal uitwerking hebben. Datzelfde kasteel, eigendom van een BV, waarvan de aandelen voor 90% eigendom zijn van de erflater, zal niet vererven. De aan-

---

[113]   Zie verder. Er is niets op tegen om bepalingen op te nemen strijdig met de reserve, voorzover de testator dit doet met kennis van zaken, hopend op een berusting.

delen zullen vererven, onder toepassing van de Belgische erfwet[114]. De rechtskeuze zal slechts uitwerking hebben in de mate dat zij niet in strijd komt met dwingend Belgisch recht.

Een tweede nuancering is dat bepalingen die strijdig zijn met dwingende Belgische erfregels niet automatisch en van rechtswege zonder uitwerking blijven. De reserveregeling is immers, in tegenstelling tot hetgeen sommigen beweren, niet van openbare orde, maar slechts van dwingend recht. Het betreft een bescherming van louter privatieve belangen, niet van het algemeen belang. De kinderen kunnen niet op voorhand afstand doen van hun reserve. Een overeenkomst daarover is verboden. Dit belet niet dat men zich actief op de reservebescherming moet beroepen, of omgekeerd, dat men, na overlijden, in de schending van een reserve kan berusten, expliciet of stilzwijgend, door geen actie te ondernemen. Indien men dit koppelt aan een alternatieve beschikking[115] in een testament waarbij de reservatairen binnen een korte termijn moeten berusten in het testament, of anders in de legitieme worden gesteld, dan is duidelijk dat in bepaalde gevallen een bestaand Nederlands testament, voor wie het berekende risico wil nemen en erop vertrouwt dat de kinderen zullen berusten, perfect kan blijven dienen. Dit heb ik al meermaals voorgehad. Een en ander belet niet dat het in de meeste gevallen aangewezen is het bestaande Nederlandse testament te vervangen door een minstens inhoudelijke Belgische versie (die eventueel vormelijk kan worden gegoten in een Nederlands testament).

OBV-testament en testament "à la wettelijke verdeling"

Geheel in de lijn van het voorgaande, steeds uitgaande van een Nederlandse erflater die overlijdt met laatste woonplaats in België, moet de rechtsgeldigheid en uitwerking van een Nederlands testament met ouderlijke boedelverdeling (onder oud Nederlands erfrecht), worden getoetst

---

[114]   De beschouwingen in de tekst betreffen enkel het civiele recht en het toepasselijke erfrecht. Dit staat los van de mogelijke fiscale consequenties. Ook al zouden Nederlandse successierechten niet aan de orde zijn (zie daarover verder bij nr. 6.3.), dan nog dient fiscaal te allen tijde rekening te worden gehouden met mogelijke toepassing van het Nederlandse recht van overgang bij overlijden. Dit recht wordt geheven op de overgang van situs-goederen, zoals in Nederland gelegen onroerende goederen. Sinds 1 januari 2002 geldt dit recht van overgang ook op de vererving van aandelen van bepaalde vennootschappen die Nederlands onroerend goed aanhouden. Het betreft met name aandelen van een vennootschap waarvan het actief voor meer dan 70% bestaat uit in Nederland gelegen onroerende goederen. Zie daarover nader bij A. NIJS, "Dubbele belasting in een Belgisch-Nederlandse context", *Nieuwsbrief Successierechten* 2001-2002, 8/13-8/16, die erop wijst dat de nieuwe fictie ook geldt inzake schenkingen.
[115]   Zie Hoofdstuk 3.

aan de Belgische erfwet. Hetzelfde geldt voor testamenten "à la wettelijke verdeling" uit het nieuwe Nederlandse erfrecht.

De Belgische reserveregel is, zoals eerder toegelicht, zeer klassiek en conservatief, in die mate dat de kinderen recht hebben op hun reserve vrij en onbezwaard en in natura. Dit laatste betekent dat zij erfgoederen dienen te verkrijgen en zich niet moeten tevreden stellen met een vordering. Het vrije en onbezwaarde karakter van de reserve impliceert dat zij de erfgoederen onmiddellijk dienen te verkrijgen en zich niet moeten tevreden stellen met een uitgestelde vordering. Het is meteen duidelijk dat deze dwingende regels de kinderen de mogelijkheid geven om tegen de OBV-regeling in te gaan, althans wat betreft hun reserve. Ten belope van het beschikbaar gedeelte zal de OBV-regeling uitwerking verkrijgen.

In de mate dat de ouders erop vertrouwen dat de kinderen zullen berusten, kan een Nederlands OBV- (of wettelijke verdelings)testament ook in de Belgische context gehandhaafd blijven en bij overlijden uitwerking verkrijgen. Terzake van de fiscale behandeling van de OBV voor de berekening der successierechten is er zelfs een recente administratieve beslissing[116].

Zekerheid hebben de ouders hiermee uiteraard niet. De kinderen kunnen hun reserve inroepen en daarmee ten dele de OBV frustreren. Een oplossing hiervoor kan worden gevonden via de huwelijksvermogensrechtelijke techniek van het keuze- of verblijvingsbeding onder last (zie hierna)[117].

Nederlands vruchtgebruik en bewind

Een andere illustratie van voornoemde problematiek is het testament waarbij wordt gepoogd om de langstlevende echtgenoot een maximale vruchtgebruik-positie te geven. Men verleent dan aan de langstlevende verregaande bevoegdheden inzake het vruchtgebruik via rechtskeuze voor Nederlands recht. Denk aan de bevoegdheid om geheel alleen en zonder de blote eigenaars (hoofdgerechtigden) alle handelingen, ook deze van beschikking, te kunnen verrichten. Naast vervreemdingsbevoegdheid wordt aan de langstlevende vruchtgebruiker soms ook de interingsbevoegdheid van artikel 3:215 Ned. BW gegeven.

Het is duidelijk dat dergelijk vruchtgebruik een bezwaring vormt van de reserve van de kinderen, die door hen niet moet worden aanvaard. Krachtens artikel 1094, eerste lid BW moeten de kinderen sinds 1981 een

---

[116]   16 maart 1998, *R.J.* S 64.06.01, *Receuil Général de l'Enregistrement et du Notariat* 1990, nr. 24.880.
[117]   Zie Hoofdstuk 2.

uitholling van hun reserve accepteren, in die zin dat deze bezwaard kan worden door het vruchtgebruik van de langstlevende echtgenoot[118]. De kinderen moeten echter niet eender welk vruchtgebruik accepteren. De grens wordt bepaald door hetgeen naar Belgisch recht inzake vruchtgebruik mogelijk is. Vervreemdingsbevoegdheid en zeker interingsbevoegdheid hoort daar niet bij. Het vruchtgebruik dat zwaarder weegt dan naar Belgisch recht mogelijk is, kan in die mate door de kinderen buiten werking worden gesteld.

Ingevolge artikel 745*quinquies* § 2, eerste lid BW kan het omzettingsrecht inzake het vruchtgebruik van de langstlevende niet worden ontnomen aan kinderen uit een vorig huwelijk van de overleden echtgenoot[119]. Indien in het testament zou worden bepaald dat dit omzettingsrecht niet aan de stiefkinderen toekomt, dan vormt dit een bezwaring van hun rechten in strijd met voornoemde dwingende regel. Dergelijk testamentair verbod zal derhalve zonder uitwerking blijven, zo de stiefkinderen dit wensen.

Een vergelijkbare illustratie van het euvel dat testamentaire bepalingen zonder uitwerking bljiven in de mate dat zij strijdig zijn met dwingende reservebescherming, vormen clausules die bepaalde lasten opleggen op de reserve, zoals bewind en fideicommissum de residuo. Ik behandelde deze aspecten reeds eerder[120] en kan hier volstaan met er nogmaals op te wijzen dat dergelijke bedingen desalniettemin zeer nuttig kunnen zijn, zeker in combinatie met een alternatieve beschikking van in-de-reserve-stelling. Men dient gewoon voor ogen te houden dat zij zonder uitwerking zouden kunnen blijven, indien gevorderd door de kinderen, ten belope van het reservataire erfdeel.

6.2. HUWELIJKSVERMOGENSRECHT

Stiefkinderen

Nemen wij een koppel van Nederlandse nationaliteit, gehuwd zonder huwelijkse voorwaarden. De man heeft twee kinderen uit een vorige relatie. Met zijn tweede vrouw heeft hij geen kinderen. De man overlijdt met laatste woonplaats in België. De objectieve huwelijksvermogenswet is Nederlands recht: het wettelijk stelsel van de algehele gemeenschap van goederen[121]. De objectieve erfwet is Belgisch recht.

---

[118] Zie Hoofdstuk 2 en 4.
[119] Zie Hoofdstuk 2.
[120] Zie Hoofdstuk 3.
[121] Hopelijk niet lang meer (zie mijn bijdrage "Weg met de algehele gemeenschap", *WPNR* 2001, nr. 6466, p. 984-987).

Eerder besprak ik reeds de artikelen 1464 en 1465 van het Belgische BW inzake huwelijksvoordelen[122]. Deze worden in principe gekwalificeerd als voordelen onder bezwarende titel, behoudens hetgeen de langstlevende verkrijgt boven een bepaald plafond. Dit surplus is dan een schenking die aan de fictieve hereditaire massa moet worden toegevoegd, ter berekening van de reservataire rechten van de kinderen. Het plafond ligt vrij hoog als de kinderen gemeenschappelijk zijn (artikel 1464 BW) en beduidend lager als er stief- of voor-kinderen zijn die niet de kinderen zijn van de langstlevende (artikel 1465 BW). Toepassing van een algehele gemeenschap van goederen maakt de kans op overschrijding van het stiefkinderen-plafond groter. Dit plafond ligt immers op de eigen goederen van de langstlevende plus de helft van de aanwinsten. Indien zich in de helft van de gemeenschap, die de langstlevende krachtens huwelijksvermogensrecht verkrijgt, goederen bevinden die geen aanwinsten zijn, dan ligt er ten belope daarvan een schenking voor. Voorhuwelijkse goederen van de overledene, alsook goederen die hij tijdens het huwelijk verkreeg via schenking, erfenis of testament, zijn geen aanwinsten.

De cruciale vraag is evenwel of wij wel toekomen aan de toepassing van het Belgische artikel 1465 BW. Dit is een internationaal privaatrechtelijk kwalificatievraagstuk. Inzake huwelijksvermogensrecht is immers het Nederlandse recht van toepassing. Belgisch recht is slechts daarna, inzake de nalatenschap, aan de orde. Kunnen wij de regel van artikel 1465 BW, bepaling die zich bevindt in een hoofdstuk over huwelijksvermogensrecht, negeren, nu enkel Belgisch erfrecht van toepassing is? Ik meen dat dit niet het geval is. Artikel 1465 BW is een gemengde bepaling. De regel is niet enkel van huwelijksvermogensrechtelijke aard maar is evenzeer erfrechtelijk. Zoals vermeld, geeft de (Belgische) objectieve erfwet de grenzen aan binnen dewelke legaten en schenkingen uitwerking kunnen verkrijgen, met name met het oog op de toepassing van de dwingende erfregels inzake de reserve. De erfrechtelijke component van artikel 1465 zal derhalve bij toepassing van Belgisch materieel erfrecht door de stiefkinderen kunnen worden ingeroepen ter berekening van hun reservataire rechten.

De weduwe moet echter niet panikeren. Voor de vaststelling of het plafond is overschreden, is de bepaling van wat aanwinsten zijn van determinerend belang. Uitgaande van het vermoeden van gemeenschap, zal de bewijslast op de kinderen liggen om aan te tonen dat bepaalde activa geen aanwinsten zijn. In de mate dat het huwelijk reeds geruime tijd is gesloten en er op dat ogenblik geen inventaris of staat van het vermogen is opgemaakt, is het mogelijk dat een groot deel van het vermogen als aanwinst zal

---

[122] Zie Hoofdstuk 4.

kwalificeren of dat het minstens moeilijk aantoonbaar zal zijn dat bepaalde activa geen aanwinsten zijn.

Tot slot moet nog worden opgemerkt dat bepaalde doctrine van mening blijkt te zijn dat artikel 1465 BW in voorliggend geval niet door de stiefkinderen zou kunnen worden ingeroepen omdat het voordeel dat de langstlevende verkrijgt, niet volgt uit een beding in het huwelijkscontract. Deze stelling is gebaseerd op een strikte en letterlijke uitleg van de tekst van de wet die inderdaad stelt dat zonder gevolg blijft ten aanzien van het meerdere, "elk beding in het huwelijkscontract hetwelk ten gevolge heeft dat aan een der echtgenoten meer wordt gegeven dan het beschikbaar gedeelte"[123]. In deze opvatting zou artikel 1465 BW via de Belgische erfwet wel van toepassing zijn *in abstracto*, maar *in concreto* zonder effect blijven ten aanzien van de verkrijging ingevolge het Nederlandse wettelijk stelsel.

Ik meen dat deze interpretatie van artikel 1465 BW niet correct is omdat zij ingaat tegen de geest en betekenis van de wet. De beschermingsregeling van stiefkinderen is eeuwenoud. Ook voor de wet van 1976 (die het huidige artikel 1465 BW invoerde) werd aangenomen dat de inkortingsregel voor stiefkinderen tevens van toepassing was op voordelen verkregen krachtens de wet, hoewel niet volgend uit een overeenkomst. Dit werd reeds door Pothier beschreven en aangenomen (op grond van een stilzwijgende overeenkomst tussen de echtgenoten om het stelsel te laten beheersen door de wet)[124]. De regel is dan ook dat kinderen uit een vorig huwelijk evenveel moeten krijgen als zij zouden ontvangen indien enkel de aanwinsten in de nieuwe gemeenschap waren opgenomen. Er is geen enkele reden of indicatie om aan te nemen dat de wetgever met artikel 1465 BW van deze fundamentele doelstelling heeft willen afwijken.

Wat er ook van zij, voorzichtigheidshalve moet men rekening houden met de mogelijke toepassing van art. 1465 BW, via de Belgische *lex successionis*, tegen voordelen volgend uit de Nederlandse wettelijke algehele gemeenschap.

---

[123]   In die zin F. BOUCKAERT, "Nederlands en Belgisch internationaal privaatrecht met betrekking tot erfrecht en huwelijksvermogensrecht", *WPNR* 1998, nr. 6335, p. 717, nr. 13, alsook – doch zonder enige motivering en louter verwijzend naar BOUCKAERT – J.-L. VAN BOXSTAEL, "L'avantage matrimonial et le conflit de lois", in *Liber amicorum Roland De Valkeneer*, Brussel, Bruylant, 2000, p. 490.

[124]   Zie de bespreking bij H. CASMAN, *Het begrip huwelijksvoordelen*, Antwerpen, Maklu, 1976, p. 212-214.

Geruisloze overgang

Een mooie toepassing van het renvoi inzake huwelijksvermogensrecht bij Nederbelgen geldt sinds 1 september 2002. Nemen wij twee Nederlanders gehuwd op 10 september 1992 zonder huwelijkse voorwaarden noch rechtskeuze. Sinds 20 september 1992 wonen zij in België. Naar Belgisch ipr geldt het Nederlandse wetttelijk stelsel van de algehele gemeenschap als objectieve huwelijksvermogenswet. België aanvaardt evenwel het renvoi inzake huwelijksvermogensrecht en verwijst derhalve naar het Nederlandse recht in zijn totaliteit, met inbegrip van het Nederlandse conflictenrecht, waarin wij het fameuze Haagse Huwelijksvermogensverdrag van 1978, via de Wet Conflictenrecht Huwelijksvermogensregime, terugvinden.

Toepassing van artikel 7, tweede lid, 2° van het Haags Verdrag leidt in casu tot een geruisloze overgang van het Nederlandse wettelijk stelsel van de algehele gemeenschap naar het Belgische wettelijk stelsel van de beperkte gemeenschap van aanwinsten, vanaf tien jaar verblijf in België, in casu tijdens de woelige nacht van 20 op 21 september 2002. Conform artikel 8, eerste lid van het Verdrag heeft een dergelijke wijziging slechts gevolg voor de toekomst. Wie geen rechtskeuze heeft gedaan, en ervan uitgaat dat de Nederlandse algehele gemeenschap bij zijn overlijden een mooie bescherming biedt voor de langstlevende en tevens een interessante besparing inzake successierechten (immers, de gemeenschap omvat ook voorhuwelijkse en vererfde of geschonken goederen), zou derhalve van een kale reis kunnen thuiskomen als in 2005 blijkt dat de enorme erfenis van tante Toos uit maart 2003 in het eigen vermogen van de overleden man valt. Voor Nederbelgen gehuwd na 1 september 1992 die geen huwelijkse voorwaarden hebben gesloten, is er maar één wijs advies: rechtskeuze. Tenzij men natuurlijk met kennis van zaken de geruisloze overgang laat doorgaan.

Toevoeging van keuze- of verblijvingsbeding met vordering[125]

Het probleem dat het OBV-testament of het testament "à la wettelijke verdeling" onder vigeur van een Belgische *lex successionis* ten belope van de reserve zonder uitwerking kan blijven, kan ten dele en soms volledig worden ondervangen door de problematiek op een ander niveau te brengen. De kwestie ligt immers geheel anders indien deze zich aandient binnen het huwelijksvermogensrecht in plaats van het erfrecht. Dit wordt gerealiseerd door een keuze- of verblijvingsbeding met vordering toe te

---

[125] Zie Hoofdstuk 2.

voegen aan het stelsel van gemeenschap van goederen. Omdat het keuze-
en verblijvingsbeding ten aanzien van een gemeenschappelijk vermogen
een louter verdelingsbeding is, dat zich situeert op het niveau van het
huwelijksvermogensrecht, zijn het erfrecht en dus ook de reserve van de
kinderen niet aan de orde. De langstlevende verkrijgt de goederen krachtens huwelijksvermogensrecht, niet krachtens erfrecht[126]. De oplossing
werkt enkel voor goederen die behoren tot een gemeenschappelijk vermogen. In de mate dat er een eigen vermogen zou zijn (bv. in een beperkte
gemeenschap van aanwinsten of in een algehele gemeenschap verworven
via privé-causule), zal de voorgestelde oplossing ten aanzien van die goederen geen uitwerking hebben. Dergelijke goederen vallen immers gewoon
in de nalatenschap van de overledene. Deze techniek kan dus uiteraard
niet werken voor echtgenoten gehuwd onder uitsluiting van gemeenschap.
Zij zullen desgevallend eerst moeten overschakelen naar een gemeenschapsregime.

De clausule van het keuze- of verblijvingsbeding met vordering komt er een-
voudig op neer dat de langstlevende de keuze krijgt om zoveel goederen
van de gemeenschap in zijn kavel op te nemen als hij of zij wil, tot zelfs de
gehele gemeenschap, onder de last om aan de nalatenschap schuldig te
blijven een schuld ten belope van hetgeen verkregen is boven de netto helft
van de gemeenschap[127]. De nalatenschap verkrijgt dan een vordering op
de langstlevende, die zoals bij een OBV of wettelijke verdeling pas opeisbaar is bij overlijden van de langstlevende, behoudens contractueel te voor-
ziene gronden van vervroegde opeisbaarheid. In het huwelijkscontract
kunnen ook modaliteiten van zekerheidstelling en het al dan niet rente-
dragend karakter van de vordering worden opgenomen. Een en ander kan
nog nuttig worden gecompleteerd met testamentaire bepalingen in welke
mate de langstlevende vruchtgebruik verkrijgt op de vordering krachtens
genoemd beding.

Indien de Nederlandse echtgenoten, woonachtig in België, gehuwd zijn
onder het wettelijk stelsel van de algehele gemeenschap van goederen naar
Nederlands recht, dan kan het keuze- of verblijvingsbeding met vordering,
steeds beheerst door Nederlands recht, aan dit Nederlandse wettelijk stelsel
van de algehele gemeenschap van goederen worden toegevoegd. In de

---

[126]   Zie A.L.P.G. VERBEKE & I.J.F.A. VAN VIJFEIJKEN, "Het begrip 'krachtens erfrecht' in civiel- en
    fiscaalrechtelijke zin", in *Verkenningen op de grens van burgerlijk recht en belastingrecht*, Den Haag,
    Boom Juridische Uitgevers, 2000, 28-29.
[127]   De uitvindster van deze clausule is Professor Hélène CASMAN: "Enkele suggesties voor het
    opstellen van huwelijkscontracten met keuze voor een gemeenschapsstelsel", in *De evolutie
    in de huwelijkscontracten*, Antwerpen, Kluwer, 1995, p. 74-76.

mate dat art. 1:119 Ned. BW inzake de goedkeuringsvereiste van de arrondissementsrechtbank voor wijziging van huwelijkse voorwaarden staande het huwelijk, niet kan worden beschouwd als een vormvereiste, maar als een grondvereiste, zal voor dergelijke aanvulling van het stelsel de rechterlijke goedkeuring noodzakelijk zijn. Het is in dergelijk geval wellicht aangewezen om de wijziging voor een Nederlandse notaris te laten passeren. Het zou ook kunnen voor een Belgische notaris, maar die zal er dan op moeten toezien dat de rechterlijke homologatie wordt gevraagd (steeds voorzover de opvatting correct is dat artikel 119 een grond- en geen vormvereiste zou zijn), hoewel dit volgens het Belgische recht sinds de wet van 9 juli 1998 niet vereist is.

Men dient er in elk geval goed op te letten uitdrukkelijk te akteren dat het keuze- of verblijvingsbeding wordt beheerst door het Nederlandse recht. Indien dit beding immers naar Belgisch recht zou gelden, dan wordt een gemengd Nederlands-Belgisch gemeenschapsregime gecreëerd, hetgeen in strijd is met het eenduidig en normatief karakter van een huwelijksgoederenstelsel[128]. Ten onrechte werd een tijd geleden beweerd dat een verblijvingsbeding beheerst door Nederlands recht niet mogelijk zou zijn, omdat dit noodzakelijk een schenking zou zijn[129]. Dit is fout, of minstens ongenuanceerd voor een gewoon verblijvingsbeding, maar in elk geval fout voor een (keuze- of) verblijvingsbeding met vordering, vermits hier altijd sprake is van een redelijke tegenprestatie. De aanbeveling van voornoemde auteur dat toevoeging van een verblijvingsbeding enkel mogelijk zou zijn door een wijziging van het Nederlandse gemeenschapsstelsel naar een Belgisch stelsel van gemeenschap, hetgeen in België een zgn. grote wijziging is, met veel poespas, lijkt mij dan ook onjuist. Dit is enkel het geval in de mate dat het verblijvingsbeding door Belgisch recht zou worden beheerst (zie hierna).

Wijziging van Nederlands huwelijksvermogensstelsel. Rechtskeuze voor Belgisch recht

Het bovenstaande belet niet dat Nederlandse echtgenoten onder omstandigheden willen overgaan naar het Belgische gemeenschapsregime. De vraag rijst dan of dit kan via de rechtskeuze zoals voorzien in het Haagse Huwelijksvermogensverdrag. Het leuke is onder meer dat dan geen rechterlijke goedkeuring vereist is.

---

[128] Rb. Antwerpen 24 september 1987, *Tijdschrift voor Notarissen* 1988, p. 115, noot LIBERT; Rb. Gent 31 maart 1994, *Tijdschrift voor Notarissen* 1994, p. 479, noot BOUCKAERT.
[129] F. BOUCKAERT, *l.c., WPNR* 1998, nr. 6335, p. 716.

In de mate dat dergelijke rechtskeuze door het in België wonende Nederlandse koppel zou worden gedaan voor een Belgische notaris, lijkt het dat de procedure van grote wijziging onoverkomelijk is. In de doctrine wordt de stelling verdedigd dat bij de wijziging van de toepasselijke huwelijksvermogenswet een cumulatieve aanknoping geldt: in casu de Nederlandse wet voor de voorwaarden van wijziging en vereffening van het bestaande stelsel en de Belgische wet voor het vaststellen en functioneren van het nieuwe stelsel. Langs de Belgische kant lijkt een meerderheid van mening te zijn dat een wijziging van een Nederlands naar een Belgisch huwelijksvermogensregime zo fundamenteel is (bv. andere bestuursregels en verhaalsrechten) dat het een grote wijziging vereist[130].

Indien de rechtskeuze echter in Nederland zou worden gepasseerd, ligt de uitkomst anders. Immers, de rechtskeuze gedaan conform het Verdrag van Den Haag in een Verdragsstaat (in casu Nederland), zonder rechterlijke goedkeuring, moet in België worden erkend indien de akte van rechtskeuze rechtsgeldig is, rekening houdend met de materiële regels aangeduid door het ipr van het land waar de rechtskeuze is gepasseerd, en op voorwaarde dat er geen fraude is[131].

Normaal werkt de rechtskeuze retroactief. Dit is iets waar de Belgische rechtsleer en rechtspraak nogal huiverig tegenover staat. In de mate dat rechtskeuze met uitsluiting van retroactieve werking naar Nederlands recht geldig zou zijn, lijkt het aangewezen om in de akte de rechtskeuze te beperken, louter werkend voor de toekomst. Dit lijkt mij verdedigbaar, nu ook de geruisloze overgang enkel voor de toekomst uitwerking heeft[132].

6.3. SUCCESSIERECHTEN

Tienjaarstermijn

Onnodig in herinnering te brengen dat het om fiscale redenen van belang is te weten of de overledene Nederland al tien jaar metterwoon heeft verlaten. Zo dit niet het geval is, dan blijft hij vanuit fiscaal oogpunt inzake schenkings- en successierechten, beschouwd als een "fictieve rijksinwoner" (artikel 3 Ned. Succ.Wb). Dit is de reden waarom Nederlanders de eerste

---

[130] In die zin Rb. Dendermonde 27 juni 1997, *Tijdschrift voor Notarissen* 1997, p. 410, noot Bouckaert; *Tijdschrift voor Belgisch Burgerlijk Recht* 1998, p. 140, noot DE BUSSCHERE; J. GERLO, *Handboek huwelijksvermogensrecht*, Brugge, Die Keure, 2001, p. 268, nr. 511.

[131] N. WATTÉ, *l.c., Répertoire Notarial*, p. 125, nr. 137.

[132] Zie ook nader bij A. VERBEKE, "Internationaal privaatrecht en huwelijksvermogensrecht", in *Eigenzinnig Familiaal Vermogensrecht*, Antwerpen, Kluwer, 2002, p. 81-109.

tien jaar in België niet kunnen genieten van het gunstige Belgische schenkingen-klimaat. Zij blijven immers gedurende de tienjaarstermijn Nederlandse schenkingsrechten verschuldigd als fictieve Nederlandse schenker.

In geval van overlijden binnen deze tien jaar, zal een aangifte van nalatenschap moeten worden ingediend, zowel in Nederland als in België. In beide landen zijn dan ook successierechten verschuldigd.

Dankzij het Nederlandse Besluit 2001 ter voorkoming van dubbele belasting zullen de Belgische successierechten op de Nederlandse in mindering kunnen worden gebracht. Toch kan hier een pijnlijke situatie ontstaan doordat de verrekening niet gebeurt op de successierechten in globo, doch berekend wordt op het erfdeel per erfgenaam. Verschillende waarderingsregels van vruchtgebruik in Nederland en in België leiden aldus tot de consequentie dat een stuk van de door de kinderen betaalde successierechten in België niet in Nederland op de door de weduwe verschuldigde successierechten kunnen worden verrekend.

Stel dat de weduwe in België een vruchtgebruik geniet dat op 40% van de waarde volle eigendom wordt gewaardeerd, en in Nederland op 60%. In België krijgen de kinderen dan blote eigendom gewaardeerd op 60% en in Nederland op 40%. De weduwe moet in Nederland meer successierechten betalen dan in België. Wat zij in België heeft betaald, kan zij in mindering brengen op haar Nederlandse successierechten. Het saldo blijft zij verschuldigd. De kinderen echter betalen in België meer successierechten dan in Nederland. De Belgische rechten kunnen zij in mindering brengen op de Nederlandse, die herleid worden tot nihil. De kinderen hebben alsdan nog een overschot, een saldo aan Belgische successierechten. Het frustrerende is nu dat zij dit niet mogen verrekenen met het saldo dat de weduwe in Nederland nog verschuldigd is. Toepassing van een hardship-rule is hier m.i. op zijn plaats, zodat de Nederlandse fiscus zou moeten aanvaarden dat het overschot van de kinderen wel op het saldo van de weduwe kan worden aangerekend.

De verplichting om binnen de tienjaarstermijn een aangifte van nalatenschap in te dienen, ook in Nederland, werd onlangs onder vuur genomen in een arrest van het hof van beroep te 's-Hertogenbosch[133]. Het hof oordeelde op grond van diverse overwegingen dat de woonplaatsfictie van artikel 3 Ned. W.Succ. (de wettelijke basis van de tienjaarstermijn) een ver-

---

[133] Hof Den Bosch 12 december 2002, www.rechtspraak.nl.

kapte beperking inhoudt van het vrije kapitaalverkeer tussen de lidstaten in de Europese Unie en daarom buiten werking moet blijven. De Staatssecretaris van Financiën heeft tegen dit arrest een voorziening in Cassatie aangetekend. In afwachting van een uitspraak van de Hoge Raad wordt aangeraden om bezwaar in te dienen tegen aanslagen gevestigd op erfgenamen van overleden Nederbelgen die nog niet langer dan tien jaar Nederland hebben verlaten[134].

Uitwerking alsof-beding

Een Nederlandse man overlijdt met laatste woonplaats in België. Hij laat roerend vermogen na in België, Luxemburg en Zwitserland, alsook een villa en een appartement in België. De overledene is gehuwd met een eveneens Nederlandse dame en heeft een Nederlands huwelijkscontract van uitsluiting van gemeenschap van goederen met alsof-beding (finaal verrekeningsbeding als waren zij gehuwd onder het Nederlandse wettelijk stelsel van de algehele gemeenschap van goederen), dat enkel werkt bij overlijden. Het totale vermogen van de man is 1000, waarvan 300 aanwinsten, 200 voorhuwelijks vermogen en 500 geërfd of verkregen via schenking (zonder privé-clausule of met een warme of verzachte uitsluitingsclausule die verrekening toelaat in geval van ontbinding van het stelsel door overlijden van de begiftigde). De vrouw heeft een vermogen van 200, volledig bestaande uit aanwinsten. Krachtens het alsof-beding heeft de vrouw een vordering op de nalatenschap ten belope van 400[135].

Voorzover voornoemde Nederlandse tienjaarstermijn is verstreken, is enkel België heffingsbevoegd terzake van de successierechten. De vraag rijst of de vrouw successierechten moet betalen op deze verkrijging van 400. Bij gebreke van een uitdrukkelijk afwijkende fiscale bepaling, moet eerst worden bepaald hoe de vordering civielrechtelijk moet worden gekwalificeerd. Volgens het Belgische internationaal privaatrecht wordt het huwelijksvermogensrecht beheerst door de gemeenschappelijke nationaliteit der echtgenoten, in casu Nederland, welke wet dan als objectieve kaderwet aangeeft in hoeverre het huwelijkscontract wordt gerespecteerd (zie Hoofdstuk 5). In casu is het huwelijkscontract beheerst door Nederlands recht, hetgeen door de Nederlandse kaderwet uiteraard wordt erkend. Volgens het Nederlandse civiel recht is een vordering uit een verplicht en wederkerig alsof-beding een huwelijksvoordeel onder bezwarende titel. De Belgische fiscus dient deze kwalificatie te respecteren, zodat men niet

---

[134] Zie B. CARDOEN, "Nederlandse tienjaarstermijn in successierechten veroordeeld", *Nieuwsbrief Successierechten* 2002-2003, 4/3 – 4/7.

[135] Met name de helft van het totale vermogen (1200/2 = 600) minus haar eigen goederen (200).

toekomt aan het heffen van successierechten en de volledige vordering derhalve vrij van belastingen door de weduwe wordt verkregen.

Stel dat de weduwe niet van Nederlandse maar van Belgische nationaliteit is en dat de echtgenoten hun eerste echtelijke verblijfplaats vestigden in Amsterdam. Gelet op de Belgische internationaal privaatrechtelijke regel dat de wet van de eerste echtelijke verblijfplaats de kaderwet inzake huwelijksvermogensrecht is, in casu Nederland, verandert dit gegeven niet aan de vorenstaande oplossing. Stel evenwel dat in het vorige geval, man Nederlander en vrouw Belgische, de eerste echtelijke verblijfplaats niet in Amsterdam maar in Antwerpen was. Volgens het Belgische ipr komen wij dan wel uit bij het Belgische recht als objectieve kaderwet. Toch zal ook dit gegeven niets veranderen, omdat de Belgische kaderwet het Nederlandse huwelijkscontract en de rechtskeuze voor Nederlands recht erkent, zodat ook hier de kwalificatie van de vordering van de weduwe moet worden bepaald overeenkomstig het Nederlandse burgerlijk recht[136].

Uiteraard moeten de nodige bewijzen omtrent het bestaan en de omvang van de vordering worden voorgelegd. Artikel 33 van het Belgische W.Succ. is hier van toepassing, maar kan in casu weinig problematisch zijn. De langstlevende bewijst de echtheid van de schuld aan de hand van het huwelijkscontract en de verrekeningsstaat die in uitvoering daarvan is opgemaakt[137].

---

[136] Zie voor een meer uitvoerige analyse mijn bijdragen "Finaal verrekeningsbeding", *Nieuwsbrief Successierechten* 2001, nr. 11, p. 1-8 en "Civiel- en fiscaalrechtelijke bedenkingen bij het finaal verrekeningsbeding en het alsof-beding in het huwelijkscontract van scheiding van goederen", in *Liber amicorum Prof. Dr. R. Dillemans,* Antwerpen, Kluwer, 1997, p. 429-463.

[137] A. CULOT, "Séparation de biens avec société d'acquêts et séparation de biens avec participation aux acquêts. Incidences en matière de droits de succession", *Recueil Général de l'Enregistrement et du Notariat* 1997, nr. 24.669, p. 55-57.

BIBLIOGRAFIE[138]

J. BAEL, "De planning van de nalatenschappen van de ouders van een gehandicapt kind", in L. WEYTS, A. VERBEKE & E. GOOVAERTS, *Actualia Familiaal Vermogensrecht*, Leuven, UPL, 2003, 271-372

G. BAETEMAN, H. CASMAN & J. GERLO, "Overzicht van rechtspraak. Huwelijksvermogensrecht", *Tijdschrift voor Privaatrecht* 1996, 135-340

R. BARBAIX, "Zijn de algemene geldigheidsvereisten inderdaad strenger ten aanzien van schenkingen dan ten aanzien van rechtshandelingen ten bezwarende titel?", *Notarieel Fiscaal Maandblad* 2003, 37-80

R. BOURSEAU, *Les droits successoraux du conjoint survivant,* Brussel, 1982

H. CASMAN en A. VASTERSAVENDTS, *De langstlevende echtgenote,* Antwerpen, 1982

H. CASMAN, *Het begrip huwelijksvoordelen,* Antwerpen, Maarten Kluwer, 1976

H. CASMAN, *Notarieel familierecht,* Gent, Mys & Breesch, 1991

H. CASMAN, *Huwelijksvermogensrecht,* Antwerpen, Kluwer, losbl.

H. CASMAN & J.-P. MASSON, "La nouvelle législation sur la tutelle", *Revue Trimestrielle de Droit Familial* 2002, 7-68

H. CASMAN, "Huwelijksvermogensrecht en successierechten – Régimes matrimoniaux et droits de succession", in *Eigenzinnig Familiaal Vermogensrecht. 1*, Antwerpen, Kluwer, 2002, 1-35

M. COENE, "Hoe financieel zorgen voor een mentaal gehandicapt kind na het overlijden van de ouders. Enkele (bijkomende) suggesties", in L. WEYTS, A. VERBEKE & E. GOOVAERTS, *Actualia Familiaal Vermogensrecht,* Leuven, UPL, 2003, 247-269

C. DE BUSSCHERE, "Het nieuwe Belgische recht inzake de voogdij over minderjarigen", *Tijdschrift voor Notarissen* 2001, 350-454

---

[138]   Deze bibliografie is beperkt tot de meer algemene werken inzake Belgisch recht. Aldus zijn niet alle in voetnoten geciteerde werken opgenomen.

C. DE WULF & H. DE DECKER, *Het opstellen van notariële akten, Deel 1*, Antwerpen, Kluwer, 1995

H. DE PAGE, *Traité élémentaire de droit civil belge, Tome VIII, IX, X, Les libéralités, Les donations, Les testaments, Les successions, Les régimes matrimoniaux*, Brussel, Bruylant

Ph. DE PAGE & I. DE STEFANI, "Les avantages matrimoniaux. Aspects civils et fiscaux", *Revue du Notariat belge* 2002, 270-296

R. DILLEMANS, *De erfrechtelijke reserve*, Leuven, Proefschrift KUL, 1960

R. DILLEMANS, *Testamenten*, in *Beginselen van Belgisch Privaatrecht*, Brussel, Story-Scientia, 1977

J. FACQ, "Gerechtelijke verdeling vanuit de praktijk", in L. WEYTS, A. VERBEKE & E. GOOVAERTS, *Actualia Familiaal Vermogensrecht*, Leuven, UPL, 2003, 149-193

J. GERLO, *Huwelijksvermogensrecht*, Brugge, Die Keure, 2001, derde druk

M. GRÉGOIRE, "La loi du 29 avril 2001 modifiant les dispositions légales en matière d'autorité parentale et de tutelle", *Revue du Notariat belge* 2002, 130-192

A. KLUYSKENS, *De erfenissen* en *De schenkingen en testamenten*, Uitgeversmij NV Standaard Boekhandel, 1954, vijfde druk

Y.H. LELEU, *La transmission de la succession en droit comparé*, Antwerpen, Maklu, 1996

Y.H. LELEU, "Examen de jurisprudence. Régimes matrimoniaux", *Revue Critique de Jurisprudence Belge* 1998, 43-355

Y.H. LELEU, "Vereffening van schuldvorderingen en vergoedingen in verband met onroerende investeringen – Liquidation des créances et récompenses au titre d'investissements immobiliers", in *Eigenzinnig Familiaal Vermogensrecht. 1*, Antwerpen, Kluwer, 2002, 37-70

W. PINTENS & F. BUYSSENS (eds.), *Vereffening-verdeling van het huwelijksvermogen*, Antwerpen, Maklu, 1993

W. PINTENS & B. VAN DER MEERSCH (eds.), *Vereffening-verdeling van de nalatenschap,* Antwerpen, Maklu, 1993

W. PINTENS, B. VAN DER MEERSCH & K. VANWINCKELEN, *Inleiding tot het familiaal vermogensrecht,* Leuven, UPL, 2002

M. PUELINCKX-COENE, *Erfrecht,* Antwerpen, Kluwer, 1996, tweede druk

M. PUELINCKX-COENE, J. VERSTRAETE & N. GEELHAND, Overzicht van rechtspraak. Erfenissen, *Tijdschrift voor Privaatrecht* 1997, 133-480

M. PUELINCKX-COENE, N. GEELHAND & F. BUYSSENS, Overzicht van rechtspraak. Giften, *Tijdschrift voor Privaatrecht* 1999, 972-1065

L. RAUCENT, *Les régimes matrimoniaux,* Académia-Bruylant, 1988, derde herziene uitgave

L. RAUCENT, *Les successions,* Académia-Bruylant, 1988, derde herziene uitgave

L. RAUCENT, *Les libéralités,* Académia-Bruylant, 1991, tweede herziene uitgave

P. SENAEVE, J. GERLO, F. LIEVENS (eds.), *De hervorming van het voogdijrecht,* Antwerpen, Intersentia, 2002

J.-L. SNYERS, *Scheiding van goederen met onverdeeldmaking van de besparingen,* Antwerpen, Kluwer, 1995

F. SWENNEN & K. JANSSENS, "Het nieuwe voogdijrecht", *Rechtskundig Weekblad* 2001-2002, 1-21

P.G. THIRIAR, "De erfrechtelijke saisine over banktegoeden", *Tijdschrift voor Financieel Recht* 2002, 168-182

J. VAN BIERVLIET, *Les successions,* Leuven, Librairie Universitaire, 1937

G. VAN OOSTERWIJCK, "Het gebeuren rond het notarieel testament", in L. WEYTS, A. VERBEKE & E. GOOVAERTS, *Actualia Familiaal Vermogensrecht,* Leuven, UPL, 2003, 227-246

A. VAN ORTROY, *L'exécuteur testamentaire,* Brussel, Bruylant, 1934

M. VAN QUICKENBORNE, *Contractuele erfstelling, APR*, Brussel, Story-Scientia, 1991, tweede uitgave

T. VAN SINAY & J. VERSTAPPEN, *Boedelbeschrijvingen*, Gent, Mys & Breesch, 1993

A. VAN ZANTBEEK & A. VERBEKE, "Het tweede huis in België", in *Het tweede huis in het buitenland*, Deventer, Kluwer, 2002, 85-119

A. VASTERSAVENDTS, *Praktisch handboek van erfrecht*, Brussel, Larcier, 1975

A. VASTERSAVENDTS, "Het testament en de notaris praktisch bekeken", in L. WEYTS, A. VERBEKE & E. GOOVAERTS, *Actualia Familiaal Vermogensrecht*, Leuven, UPL, 2003, 213-225

A. VERBEKE, *Goederenverdeling bij echtscheiding*, Antwerpen, Maklu, 1994, tweede ongewijzigde druk

A. VERBEKE, "De bank en de gehuwde cliënt", in *Actuele ontwikkelingen in de rechtsverhouding tussen bank en consument*, Antwerpen, Maklu, 1994, 47-120

A. VERBEKE, "Het huwelijkscontract van scheiding van goederen. Pleidooi voor een 'warme uitsluiting'", in *De evolutie in de huwelijkscontracten*, Antwerpen, Kluwer, 1995, 81-191

A. VERBEKE, *Le contrat de mariage de séparation de biens*, Antwerpen, Kluwer, 1997

A. VERBEKE, "Contractvrijheid in het huwelijksvermogensrecht. Opdracht voor een waakzaam notariaat", in *Liber amicorum Prof. Baeteman*, Antwerpen, Kluwer, 1997, 327-354

A. VERBEKE, "Civiel- en fiscaalrechtelijke bedenkingen bij het finaal verrekeningsbeding en het alsof-beding in het huwelijkscontract van scheiding van goederen", in *Liber amicorum Prof. Dillemans*, Antwerpen, Kluwer, 1997, 429-463

A. VERBEKE, "De legitieme ontbloot of dood? Leve de echtgenoot!", Tilburgse oratie, *Tijdschrift voor Privaatrecht* 2000, 1111-1236, eerste uitgave en *De legitieme ontbloot of dood? Leve de echtgenoot!*, Serie Ars Notariatus CXIII, Deventer, Kluwer, 2002, tweede herziene utigave

A. VERBEKE, "Krachtlijnen voor een wettelijk huwelijksvermogensstelsel", in *Algehele gemeenschap van goederen. Afschaffen!?, Serie Ars Notariatus CVII*, Deventer, Kluwer, 2001, 33-62

A. VERBEKE, "Naar een billijk relatie-vermogensrecht", *Tijdschrift voor Privaatrecht* 2001, 373-402

A. VERBEKE, "Belgisch Blutrecht", *Fiscaal Tijdschrift Vermogen* 2001/11, 22-29

A. VERBEKE, "Belgisch Weibenrecht", *Fiscaal Tijdschrift Vermogen* 2001/12, 20-29

A. VERBEKE, "Finaal verrekeningsbeding", *Nieuwsbrief Successierechten* 2001, nr. 11, p. 1-8

A. VERBEKE, "Belgisch testamentair erfrecht", *Fiscaal Tijdschrift Vermogen* 2002/1, 27-36

A. VERBEKE, "Zuivere scheiding van goederen verbieden", *Algemeen Juridisch Tijdschrift* 2001-2002, 671-672

A. VERBEKE, "Belgisch reservatair erfrecht", *Fiscaal Tijdschrift Vermogen* 2002/2, 24-31

A. VERBEKE, "Elfknelpuntentocht voor Nederbelgen", *Fiscaal Tijdschrift Vermogen* 2002/4, 23-33

A. VERBEKE, "Internationaal privaatrecht en huwelijksvermogensrecht – Régimes matrimoniaux et droit international privé", in *Eigenzinnig Familiaal Vermogensrecht. 1*, Antwerpen, Kluwer, 2002, 81-109

A. VERBEKE & I. VERVOORT, "Oorzaak, voorwaar(-de) oorzaak van onduidelijkheid", in *Liber amicorum Prof. J.H. Herbots*, Antwerpen, Kluwer, 2002, 521-535

A. VERBEKE, "Scheiding van goederen met toeters en bellen", in L. WEYTS, A. VERBEKE & E. GOOVAERTS (eds.), *Actualia Familiaal Vermogensrecht*, Leuven, UPL, 2003, 16-25

A. VERBEKE & A. VAN ZANTBEEK, "Belgium. Succession Law and Inheritance Tax", in D. HAYTON (ed.), *European Succession Laws*, Bristol, Jordan, 2003, second edition, 37-78.

J. VERSTRAETE, "Stand van zaken van het beding van aanwas en andere contracten tussen samenwonenden", in L. WEYTS, A. VERBEKE & E. GOOVAERTS (eds.), *Actualia Familiaal Vermogensrecht,* Leuven, UPL, 2003, 27-58

J. VERSTRAETE, "Lenen aan toekomstige erfgenamen", in *Liber amicorum Prof. J.H. Herbots,* Antwerpen, Kluwer, 2002, 537-551

A. WITTENS, "Stilzwijgende aanvaarding van nalatenschap: de val der onwetendheid", *Notarieel Fiscaal Maandblad* 2002, 56-69

A. WYLLEMAN, "Vereffening-verdeling. Over tussengeschillen en deelakkoorden", in L. WEYTS, A. VERBEKE & E. GOOVAERTS, *Actualia Familiaal Vermogensrecht,* Leuven, UPL, 2003, 195-212

Commentaar Erfrecht, schenkingen en testamenten, Antwerpen, Kluwer, losbladig.

Répertoire Notarial, V° Régimes Matrimoniaux, V° Testaments, V° Droit international privé, Brussel, Larcier, losbladig

Notariële actualiteit, Brugge, Die Keure, *V° Familierecht, V° Familiaal vermogensrecht, V° Internationaal Privaatrecht*

Chronique de droit à l'usage du notariat, Brussel, Larcier, *V° Régimes matrimoniaux, V° Successions, V° Libéralités*

KFBN (ed.), *De legatarissen en hun legaat,* Antwerpen, Kluwer, 1987

KFBN (ed.), *Les arrangements de famille,* Brussel, Story-Scientia, 1990

KFBN (ed.), *De evolutie in de huwelijkscontracten,* Antwerpen, Kluwer, 1995

KFBN (ed.), *De erfrechtelijke reserve in vraag gesteld. Deel I. Rechtsvergelijking,* Brussel, Bruylant, 1997

KFBN (ed.), *De erfrechtelijke reserve in vraag gesteld. Deel II. Belgisch recht,* Brussel, Bruylant, 1997

KFBN (ed.), *De erfrechtelijke reserve in vraag gesteld. Deel III. Voorstellen,* Brussel, Bruylant, 2000

Les contrats de mariage, Brussel, Louvain-la-Neuve, 1996